1989-1994 中世紀—十七世紀之卷

文學回憶錄

木心 講述　　陳丹青 筆錄

木心，攝於一九四六年他在杭州的第一次個展，時年十九歲。
三十九年後，於哈佛大學舉辦第二次個展，時五十八歲。

在木心的遺物中發現了這張照片，估計攝於二十世紀六十年代初，木心三十歲出頭。那件毛衣的樣式，我（陳丹青）確信是木心自己設計的，他的身邊，想必是展覽場所的物件，那一時期，木心經常出任大型展覽設計師。

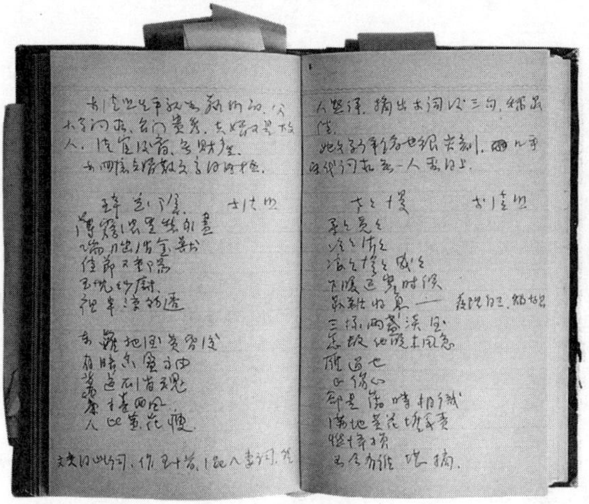

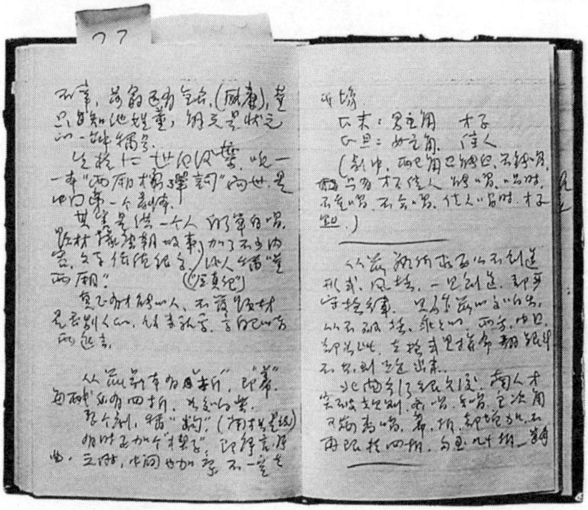

（上）第25講筆記：「她（李清照）的文學評論也很尖刻，幾乎宋代詞家無一人看得上。」
（下）第28講筆記：「從不破格，乖乖的。西方、中國，都如此，在格式裡拼命翻跟頭，不想到跑出來。」

目錄

第20講

中世紀歐洲文學

本篤派 《懺悔錄》 行吟詩人　但丁 《神曲》《新生》

1990.2.25

中世紀凡有頭腦、心腸、才能者，都出自教會。最好的香水、葡萄酒、白蘭地，也是教會裡弄出來的。

好比一瓶酒；希臘是釀酒者，羅馬是釀酒者，酒瓶蓋是蓋好的。故中世紀是酒窖的黑暗，千餘年後開瓶，酒味醇厚。

《神曲》涵蓋甚大，中世紀哲學、神學、軍事、倫理。以現代觀點看，《神曲》是立體的《離騷》，《離騷》是平面的《神曲》。

文學不宜寫天堂地獄，宜寫人間。

中世紀距今也有千餘年了，只知道是黑暗時期，到此為止，黑暗千餘年中有什麼東西？不知道了。我宿命地對中世紀有興趣，現在慢慢知道了。

人類正好被壓抑，埋藏一段時期，而又文藝復興。

我在作品中一有機會就談到中世紀。現在我們去歐洲，是中世紀以後的歐洲。細察，仍然到處可見中世紀之前的歐洲。公元四七六年到一四九二年左右，劃為中世紀。這種算法，是自西羅馬滅亡後到哥倫布發現新大陸，是中古時期。

我們算這筆帳，最後是要看看中古黑暗之後，會不會有東西出來。

黑暗時期的發光人物及作品

羅馬滅亡前二百年，歐洲文學幾乎停頓。羅馬滅，文化完全滅亡。現在去歐洲，看到的都是文藝復興後新起的文化。

羅馬人等歐洲人，那時都是軍旅生活，沒有文化。一千年間，歐洲就是戰爭、瘟疫、饑荒。平民受貴族壓迫，上下兩個層面的文化都荒蕪。當時的統治者並非像中國「文革」存心毀滅文化。他們對此是有疏漏的。書本沒有完全毀掉失散，在教會中被頭腦好的教士保護，並手抄研究，遂有本篤派（Benedict），專事保護古典名著，供地下流傳。這一派，是黑暗時期的光明。

「文革」時期的壓迫毀滅，無縫可鑽。

英倫三島，較歐陸稍好，保留一點文化。歐陸，以西班牙略不同。西班牙從服於伊斯蘭教約八百年（約七〇九年到文藝復興）。但是古阿拉伯人比今天的阿拉伯人聰明，《可蘭經》要讀，《聖經》也讀，所以當時都到西班牙去留學。

斯湯達爾（編按：或譯司湯達）說：我活過，愛過，寫過。我是：因為活，我愛，因為愛，我寫——我愛中世紀，讀懂我的書，要懂得中世紀，才能真明白。

黑暗時期發光的人物：

比德（The Venerable Bede）教士，在八世紀寫過一部《盎格魯人教會史》（*Historia ecclesiastica gentis Anglorum*）。彼德（Peter the Hermit）給在德國及法國的第一次十字軍做過演講。羅吉爾．培根（Roger Bacon），倡導懷疑。聖．奧古斯丁，地位很高。聖．傑羅姆（St. Jerome，三四七—四二〇），他是偉大的基督教學者，我們現在看到的《聖經》定本就是他翻譯成拉丁文的。

峰尖，最高的人物，但丁，敲響中世紀的喪鐘。

他們都是教會中人。中世紀凡有頭腦、心腸、才能者，都出自教會。最好的香水、葡萄酒、白蘭地，也是教會裡弄出來的。

聖·奧古斯丁（St. Augustine，三五四—四三〇），寫一書，名《上帝之城》（*The City of God*），又憑《懺悔錄》（*The Confessions*）贏得文學地位。我討厭此書，尼采的書是老虎的書、老鷹的書；《懺悔錄》是「羊」的書，是神學的靡靡之音、宗教的濫情。奧古斯丁是「羊」叫，找依靠的人性，是共性、個性在一起，我不喜歡他的個性，共性也無用。麻雀是鳥，鷹也是鳥，「鳥性」有什麼用？

上面兩位奧古斯丁、傑羅姆，將教會文件提高到文學上來，繼承人是聖·本篤（St. Benedict）。千年之內，只有這幾個人在保存文化，太不夠了。

好比一瓶酒；希臘是釀酒者，羅馬是釀酒者，酒瓶蓋是蓋好的。故中世紀是酒窖的黑暗，千餘年後開瓶，酒味醇厚。

中國文化的酒瓶蓋到了唐朝就掉落了，酒氣到明清散光。「五四」再把酒倒光，摻進西方的白水，加酒精。

當時歐洲各國都暗暗藏著長詩短詩，最大的詩，就是德國長詩《尼伯龍根之歌》（*The Nibelungenlied*），包含三十九個冒險故事，無非戰爭、英雄、寶藏、愛情、龍、死亡、美人……比不上荷馬史詩的偉大。這樣一個混沌複雜的長故事，講不完，不必講。大而化之，聽聽華格納的歌劇就可以了。

還有一部史詩叫做《貝奧武甫》（*Beowulf*），大約出於七世紀，丹麥皇宮與妖怪的故事，現在在北歐總能見到以這些故事為題材的作品。另一部史詩是《熙德之歌》（El Cantar de Myoçid），有點紀實性。到西班牙去，要注意那是基督教和伊斯蘭教的地方。熙德是一個偉大人物，忽而幫基督教，忽而幫伊斯蘭教。這個人非常西班牙氣，忽而這樣，忽而那樣。他得到人民愛戴，到十九世紀還歌頌這樣一個反覆無常的西班牙性格。這部史詩很簡單，但是宏麗熱情。

還有一部史詩是《伊達》（*Edda*），為兩部古冰島文學的總集，一部為《新伊達》（*Younger Edda*），一部為《古伊達》（*Elder Edda*），寫亞當夏娃以來的世界史，與基督教傳說相符。

這些史詩都出於民間，作者不詳。

還有《麗那狐》（*Reynard the Fox*，又譯作《列那狐》），以智狐諷刺統治者昏庸，流傳民間。作者不可考。大致是修道院中的聖女，一說是德國作品。

中國文學也充滿狐狸精傳統。在中國，狐是妖、色、邪，害人，沒有一條狐狸像西方那樣被作為智者的象徵，這是東西方的不同。

長詩《玫瑰傳奇》（*Romance of the Rose*），作者洛利思（Guillaume de Lorris）。第一部分四千行，第二部分一萬九千行，作者是法國中部人，其餘不詳。他所寫的戀愛經過，又聰明又愚蠢，技巧美麗，把關於戀愛的一切抽象的東西都擬人化。他死後，另一作者邁恩（Jean de Meun）續寫。這種寫法非神非童，我們現在已受不了，當時廣受歡迎，遠傳英國。

最值得講的，是中世紀的行吟詩人（Troubadours，或譯作遊吟詩人），邊流浪邊唱歌。初起於西班牙，傳到意大利，後來傳到法國和德國，歐洲文化就這樣流來流去（小提琴最初產於阿拉伯，成了歐洲的一大樂器）。

我愛行吟詩人，如果我和海涅之流活在中世紀，亦當是行吟詩人。行吟詩人全盛期約二百年，從十一世紀到十三世紀。地位很高，不是窮乞丐的模樣，受到貴族崇拜，各自有經歷，如十字軍戰士，講起來各有一套。當時出世的人成了教士，入世的人去做行吟詩人。他們傲視貴族，但總歸辛苦，居不定，食無時。

行吟詩人的黃金時代有一可紀念的日子，一四五三年某月某日，歐洲各行吟詩人集會，比賽評獎。

比行吟詩人差一點的是法國北部的宮廷詩人（Court Poets）。與意大利文藝復興時期的宮廷詩人不同，後者是僕歐，略近於南宋時期的宮廷清客或幕僚。

他們崇尚武士精神，文學上不行，但理智、思想頗好，是歐洲思辨傳統的先驅。《羅蘭之歌》（*Chanson de Roland*）是很有成就的作品，出於十一世紀無名作者，寫軍人羅蘭為奸人所害，全軍覆沒。

另有《羅馬人的行跡》（*Gesta Romanorum*），內容龐雜，英國喬叟、莎士比亞，都在此中取材。

但丁，敲響中世紀喪鐘

這樣講下去，天漸漸亮了。敲響中世紀喪鐘的人物，但丁（Dante，一二六五—一三二一）來了。他的詩寫得好，而且有象徵性。有人詩寫得好，沒有象徵性。

據但丁的傳記說，但丁不像雕像中那樣威嚴相，而是金髮美男子。十二歲就開始寫起來了——我也是十二歲就寫起來呀，發育時，生理上也會渴望寫詩——但丁就這樣寫起來。

《神曲》（*Divina Commedia*），即「神的喜劇」。我愛他的《新生》（*La Vita Nuova*），寫初戀。

但丁生於一二六五年，九歲遇到貝雅特麗齊（Beatrice），從此愛情主宰了他的靈魂。未通音訊，又九年，但丁再遇到她，仍無語。後來貝雅特麗齊出嫁，三十五歲死時，一直不知道但丁愛她。《新生》就是寫這一段愛——每個人都經歷過一段無望的愛情，「愛在心裡，死在心裡」。

但丁多才，活躍於政治舞臺，當過佛羅倫斯行政官，喜諷刺、評論、辯論、收集美女的名單。

《神曲》是歐洲空前的巨型文學著作。此前的拉丁文文學粗糙，但丁第一個精心提煉意大利語言，提升為文學。俄國普希金提煉俄羅斯語言，提煉德國語言的是馬丁・路德（Martin Luther，一四八三—一五四六）。

畫家喬托（Giotto）和但丁是好友，兩人都是文藝復興的橋梁。

《神曲》涵蓋甚大，中世紀哲學、神學、軍事、倫理。以現代觀點看，《神曲》是立體的《離騷》（編按：《離騷》，指《離騷經》，也就是《楚辭》），《離騷》是平面的《神曲》。《神曲》是一場噩夢，是架空的，是但丁的偉大的徒勞。

文學不宜寫天堂地獄，宜寫人間。

《伊利亞特》太幼稚，《神曲》太沉悶，《浮士德》是失敗的，都比不過莎士比亞。莎士比亞是詩劇，詩不能長的。「詩」與「長」，不能放在一起的。詩是靈感，靈感是一剎那一剎那的，二十四小時不斷不斷的靈感，哪有這回事？

但丁，《新生》，寫初戀。

我要寫長詩。靈感怎麼辦呢？珍珠如何成項鍊？靠當中那根線。整個現代文化是造成這根線的，通俗講，這根線就是哲學。

我到美國後寫了幾年散文，又起了詩的鄉愁。詩難以數千行。不能以故事入詩。中國詩太聰明、太魂靈，不肯上當。音樂分樂章，許多是失敗的。

但丁，從前是詩重於他的人，後來是詩、人並重，再後來，是人重於詩。所謂「人」，指他的象徵性。

他個人的生活很動盪，是兩派之爭的犧牲品。一派擁護教皇，一派擁帝皇，他想調和而不成，終靠近宗教派。帝派得勢後，被逐出佛羅倫斯，據說甚至遠及巴黎、牛津。一度要他回故鄉，以持燭懺悔為條件，為他堅拒。流亡途中，成《神曲》。

他很像屈原，死時，愈顯得年輕。

他的想像力、結構力，極超越。他設計維吉爾（Virgil）、貝雅特麗齊這樣的人物，佩服。前者導引遊地獄，完畢後隱去，後者白衣而降。

基本結構，是大靈感。字裡行間，小靈感也。

我的大靈感呢？講出來容易，寫來難。不講，寫出來再講。

現代智慧得以解脫的是什麼？宗教的偏見，道德的教條，感情的牽絆，知識的局限。

以但丁為例，他那麼高的才華，那麼好的心腸，但他的頭腦是宗教的。他把許多偉大的詩人放到地獄裡。古代的智慧，很可憐。

中世紀還有幾位人物。

佛羅薩爾特（Jean Froissart），歷史學家，主英雄崇拜，寫英、法史記，序言中鼓勵一切勇敢的心。他說，死一千個平民，我沒有感覺，死一個英雄，我痛哭。

薄伽丘（Giovanni Boccaccio，一三一三—一三七五），寫《十日談》（*Decameron*），散文之父。

喬叟（Geoffrey Chaucer，一三四三年—一四〇〇），英國詩的祖宗。

托馬斯・馬洛禮（Thomas Malory，一四〇五—一四七一），英國中世紀後期，著《亞瑟王之死》（Le Morte d'Arthur）。

薄伽丘（上）散文之父。
喬叟（下），英詩的祖宗。

維庸（François Villon，一四三一—一四六三，或譯作維榮），法國詩人。職業強盜，常被捕。行刑前神秘逃脫。詩很和諧，嘲諷生命，誇耀罪行。

念新作的長詩。哈代說：「多記印象，少談主見。」我的詩多是對中世紀的「印象」。初稿，不押韻，後試韻，並一韻到底，不改韻。〈長恨歌〉、〈琵琶行〉，都不是一韻到底的。

念詩。

〈中世紀的第四天〉

三天前全城病亡官民無一倖存
霾風淹歇沉寂第四天響起鐘聲
沒有人撞鐘瘟疫統攝著這座城
城門緊閉河道淤塞鳥獸絕跡
官吏庶民三天前橫斜成屍骸
鐘聲響起緩緩不停那是第四天

不停緩緩鐘聲響了很多百十年
城門敞開河道湍流燕子陣陣飛旋
街衢熙攘男女往來會笑會抱歉
像很多貿易婚姻百十年前等等
沒有人記得誰的自己聽到過鐘聲
鐘聲也不知止息後來哪天消失

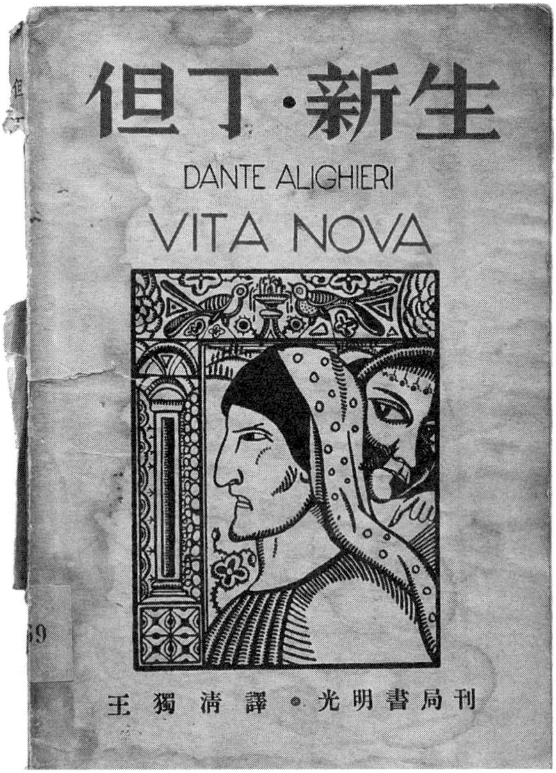
但丁·新生
DANTE ALIGHIERI
VITA NOVA
王獨清譯 · 光明書局刊

民國版書影。

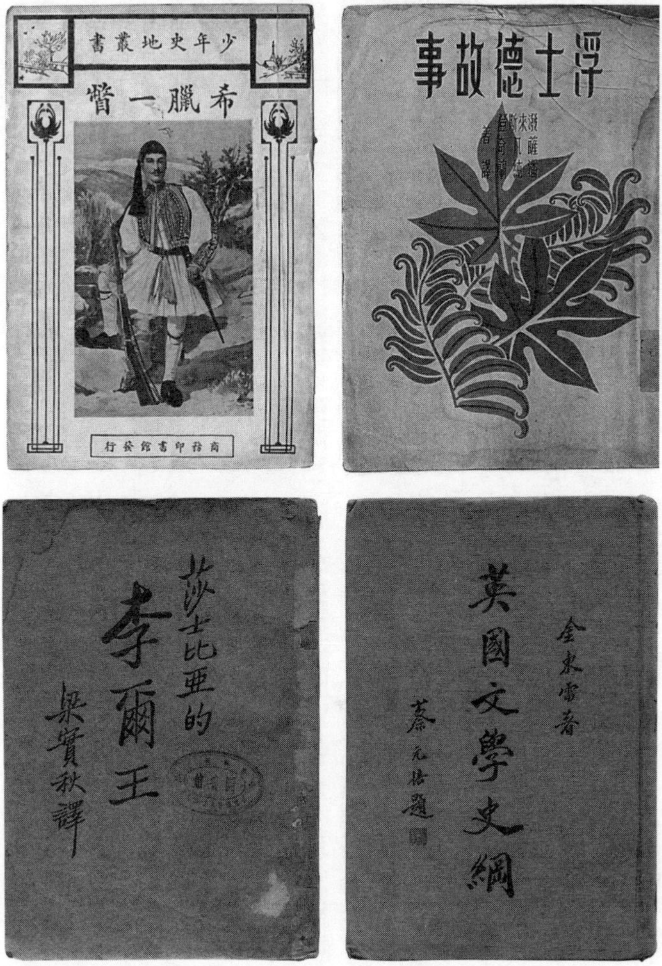

民國版書影。

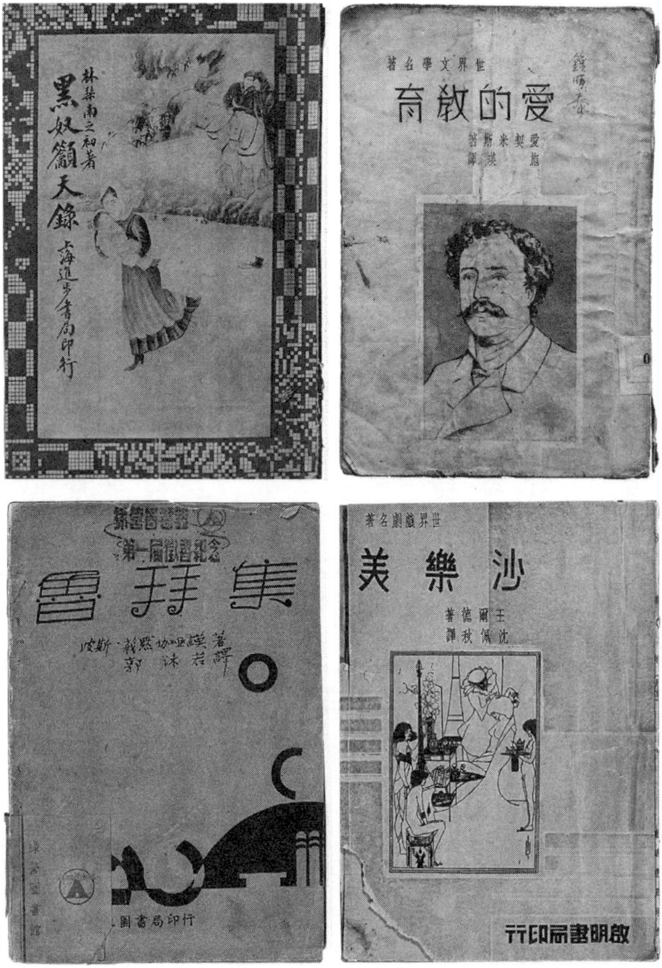
黑奴籲天錄
上海進步書局印行
世界文學名著
愛的教育
魯拜集
郭沫若譯
世界戲劇名著
沙樂美
王爾德著
沈佩秋譯
啟明書局印行

民國版書影。

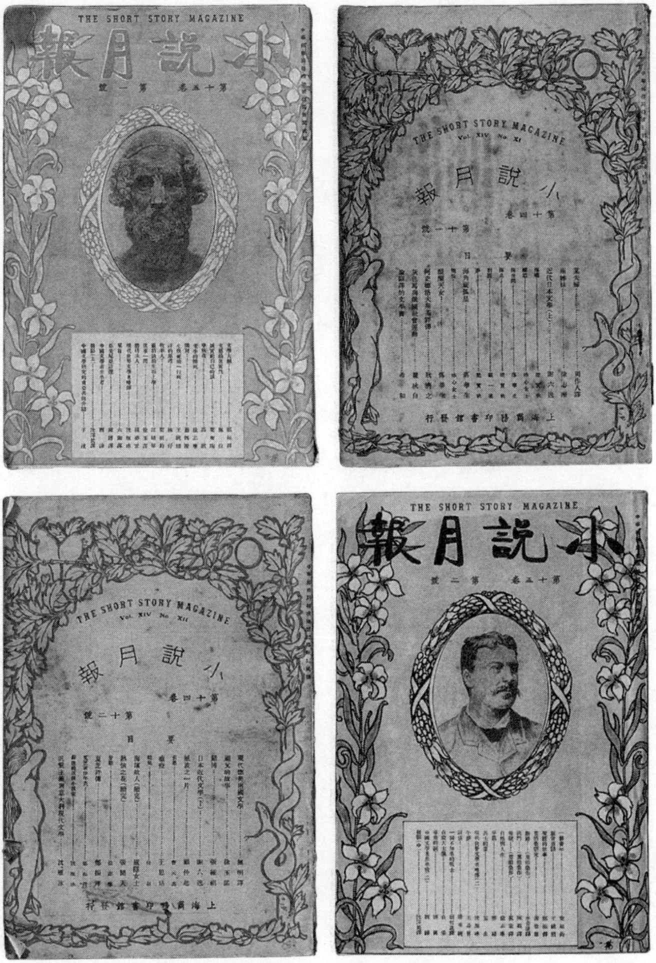

民國《小說月報》書影。木心說，他年輕時每期必讀。

第21講

唐詩（一）

沈約　永明體　四傑　王勃　陳子昂　李白　杜甫

1990.3.16
在陳丹青家

中國，可說是詩的泱泱大國。從未有一個國度，詩的質量如此之高。歌德羨慕極了，陶詩翻譯成法文，法國人也直道偉大。

李白的性格很明亮，像唐三彩上的釉。他喜歡誇張吹牛，奇的是不令人討厭。什麼道理呢？他畢竟有底。

杜甫的天性本是沉鬱的，悲劇性的，正合適寫憂傷離亂。如果杜甫一生富貴、繁華安樂，他的詩才發揮不到這樣高。他的詩，一部分我作為藝術看，一部分作為史料看。

中國文學的黃金時代

所謂中國的「中世紀」，是從齊（公元四七九年）至明（約公元十六世紀前後，明代的中葉），前後也是一千年餘。中國的中世紀，正好是大放光明的時期。偏偏在這一千年間，中國文化放盡了光芒，享盡了繁華。有點像人的交運，中國少年交運——後來倒霉了。

唐詩、宋詞、元曲、明清小說，是中國文學最好的時期。

先講詩。中國，可說是詩的泱泱大國。從未有一個國度，詩的質量如此之高。歌德羨慕極了，陶詩翻譯成法文，法國人也直道偉大。

真能體會中國詩的好，只有中國人。

唐詩可分兩期。第一期，是變化古詩為近體詩，講唐詩，要從沈約講起。古詩格律不森嚴，《詩經》、《楚辭》、「古詩十九首」，都較自由。從宋、齊、梁、陳，開始格律化了，這格律，到唐朝盛極。

竟然直到「五四」，都在這格律中。說到詩，即問五言七言，是絕是律。有利有弊。所謂「藝術成長於格律，死亡於自由」。另一理，格律發展到飽和點、頂點，自會淘汰、求變。

中國詩的演變，脈絡清晰。既是連貫呼應的，又是段落分明的——唐詩宋詞，有一種精神上的親戚關係。

唐是盛裝，宋是便衣，元是褲衩背心。拿食物來比，唐詩是雞鴨蹄膀，宋詞是熱炒冷盆，元曲是路邊小攤的豆腐腦、脆麻花。

如此看，中國詩的衰亡是正常的、命該的、必然的。盛過了，不可能盛之又盛。天下哪有不散的筵席——從整體上來觀照，中國不再是文化大國，是宿命的，不必怨天尤人。所謂希望，只在於反常、異數。用北京土話說：抽不冷子出了個天才。

到近代，又出天才，是時代埋沒不了他。因為他的天才比時代大，他的藝術的壽命比時代的壽命長。屈原天才，比時代大。曹雪芹，《紅樓夢》一向是禁書，但禁不了。而《紅樓夢》是寫於唐宋元明之後的呀，文學的黃金時代早就過完了，可是曹先生照樣有事情做，時代壓不死他。他之後，又茫茫然一派殘山剩水，即使出現幾個文學精英分子，但他們的天才比他們的時代小，小太多了。中國不會有文藝復興。港臺富了，沒有文藝。文化五彩沙漠。期待時代轉變，不如期待天才。

政軍史上，有時勢造英雄之說。文學史沒有這麼闊氣。有好時代，出天才，也有出天才，時代窩囊。

唐詩序曲期

沈約之後，格律詩成熟，此前曹家、建安七子，功不可沒。所謂詩的古體，從《詩經》下來，都是四言為主，不事對仗，較口語化。曹寫短句，不靠對仗。五言大興後，漸由散漫趨向工整，由質樸進入雕琢。詩，開始講究字面上的美麗，引出唐詩。

名句：

白雲抱幽石，綠筱媚清漣。

四名詞，四形容詞，兩動詞，已很講究。

齊初，沈約、王融、謝朓等合起來創造詩律，供詩人參照。當時，詩人都不反對，心甘情願，爭做美麗的五言詩。

對仗好，動詞對動詞，形容詞對形容詞，卻很自由地玩弄。外國沒有的。文字遊戲，做作，不真誠、不自然，但實在是巧妙，有本領。

齊，是唐詩的序曲期，出現之久，序曲唱得很長。

這裡要做技術性的補充解釋：詩的新韻律所以創立，主要因為梵文在發音方法上影響了中國，其發音比中國語言精密。後定平、上、去、入四聲法，過去中國對詩的韻律並不多加分析，之後，講究了。

沈約（四四一—五一三），字休文，吳興武康人。幼貧苦，篤志好學，研通群籍。初仕宋，為尚書度支郎，入齊為步兵校尉、管書記、侍太子，又曾出為東陽太守，此時已經成了一代宗師了。當時沈約作《四聲譜》，謝朓、王融贊和，以身作則，倡言為詩必須講究四聲，否則不作諧和論，世稱永明體（齊武帝年號）。永明體，四聲法，將每個字納入聲部，儼然詩韻的「憲法」，後人說某詩出韻，即否定的意思，其實束縛了後世詩人的手腳。我的看法是，古人協韻是天然自成，到了沈約他們，用理性來分析，其實便宜了二流三流角色。對一流詩人，實在沒有必要。沈約本人，一上來就做過了頭，形式的完整使詩意僵化了，例：

〈石塘瀨聽猿〉

噭噭夜猿鳴，溶溶晨霧合。
不知聲遠近，惟見山重沓。
既歡東嶺唱，復佇西巖答。

六句完全對仗，但很不自然——自然造人，知道該雙的雙、該單的單：兩耳、兩眼、兩乳、兩手、兩腳、一頭、一鼻、一嘴、一臍、一性器——所以，沈約的主張，流弊是後人的文字遊戲，小丑跳梁，一通韻律便儼然詩人。當然，沈約不負這個責。縱觀中國詩傳統，有太多的詩人一生為了押韻，成了匠人，相互讚賞，以為不得了，這是很滑稽的。

總之，沈約做過了頭。形式完整，詩意僵化了。該不對稱時就不對稱，文字豈可句句對稱？

梁有《昭明文選》。蕭家三子、父蕭衍，共四人（蕭衍、蕭統、蕭綱、蕭繹），為唐詩的黃金時代奠定基礎。後來，又出了江淹（「江郎才盡」，指的就是他，才盡而能出名。「名落孫山」，孫山是最末一名，也因此留名）。

庾肩吾、庾信、王褒，都好，都是江南文人。

當時北方文學家少而平平，有高昂者，其征行詩傳為佳作：「龍種千口牛，泉連百壺酒。朝朝圍山獵，夜夜迎新婦。」（高昂〈征行詩〉）。

還有「天蒼蒼，野茫茫，風吹草低見牛羊」（〈敕勒歌〉）。

都是素人野民之歌，天然真切，博得後世傳誦。

隋煬帝楊廣好文學，詩集有五十五卷，其中「寒鴉飛數點，流水繞孤村」，真是好的。宋秦觀知其好，借用在自己的詞中，減一字，「寒鴉數點，流水繞孤村」，確實更好。

〈木蘭辭〉亦為此時期的作品，藝術價值高於當時一切詩歌之上。看古詩，要看正宗作品，也要看冷門的夾縫中的詩。

宋、齊、梁、陳、隋，比魏晉，是差的，比唐朝，也差勁，說明什麼？說明文學脈絡沒有斷。「五四」運動後，是絕望的斷層。

初唐詩人及作品

唐文學是「經濟起飛」後的「文化起飛」？非也。我以為沒有必然性。當時一夜之間，遍地文學。李世民以詩取官，執政者是內行，通詩，善書法，武則天也通文學，這是第一原因。出了一大批天才，第二原因。老太太、童子能讀，連賣漿者、牢頭也讀詩——不是詩好，是人文水準高。

《全唐詩》，我家的藏書樓中有，凡九百卷，入錄的作者二千二百餘人，詩的總數是四萬二千八百餘首，時間跨度三百年——從《詩經》到隋朝，一千多年間，詩的總數只及唐詩幾分之一！

問我有沒有全部讀過四萬二千八百首，沒有。我不至傻到亂吞唐詩。讀詩，嘴要刁。即使《唐詩三百首》，我真喜歡的，恐怕不到一百首，這一百首呢，每首讀過一百遍也不止吧。

唐詩分四個時期：初唐、盛唐、中唐、晚唐。

初唐——唐興至玄宗開元之初，凡百餘年。

盛唐——開元至代宗大曆初，凡約五十年。

中唐——大曆至文宗太和九年，凡約七十年。

晚唐——文宗開成初至唐末，凡八十餘年。

初唐詩人中，王勃、楊炯、盧照鄰、駱賓王稱「四傑」——其實魏徵倒是初唐正宗第一詩人。陳子昂呢，是唱唐代文學宣敘調的男高音、領唱者。此外是沈佺期、宋之問、劉希夷、張若虛，都是初唐的詩人代表。

盛唐詩人：李白、杜甫、王維、孟浩然、王昌齡、高適、岑參。

中唐詩人：韋應物、韓愈、柳宗元、白居易、元稹、劉禹錫、孟郊、賈島。

晚唐詩人：杜牧、李商隱、溫庭筠、羅隱、司空圖、陸龜蒙、杜荀鶴。

這份名單，嚇死人。中國是超級詩國。英國算是得天獨厚的詩國，詩人總量根本不能與中國比。

這四個時期，不可一刀切，有橫貫，有承繼。劃分時期，是為了看看天才降生的壯觀景象，簡直像放煙火，令人眼花撩亂、目不暇給。每個詩人風格不相同，各自臻於極致。用現代話說，在自己找到的可能中盡到了最大的可能（第一要找到一個大可能，然後發揮到極點）。

大家興奮起來了，但我不是說大鼓，是講文學史。學術，第一要冷靜，第二要有耐性。

自隋入唐的詩人，有虞世南（五五八—六三八），字伯施，餘姚人，大書法家。我非常喜歡他的字，尤其那一撇，風情萬種，每次都撇到你的痛處、癢處、傷心處，所以不敢忘記他。請大家留意他的法帖，極大的享受。

魏徵（五八〇—六四三）呢，好在一洗六朝麗靡的習氣，寫來十足丈夫鬚眉，文學價值並不高。

王勃（約六四九—六七六），才是大天才，字子安，絳州龍門人。神童，六歲能文詞，九歲指摘顏師古《漢書注》之誤。未及冠，才名揚聞京邑，授朝散郎，客於沛王府。二十七歲時往交趾省父，渡南海，溺亡。著有詩文集約三十卷。

初唐四傑中，楊炯、盧照鄰、駱賓王，還有六朝舊習，無甚獨創性，王勃無疑是冠軍。

四傑之後，建樹唐律的體格者，有宋之問、沈佺期二人。崔融、杜審言等助之。《新唐書．宋之問傳》謂：

> 魏建安後訖江左，詩律屢變。至沈約、庾信，以音韻相婉附，屬對精密。及宋之問、沈佺期，又加靡麗，回忌聲病，約句准篇，如錦繡成文，學者宗之，號為沈宋。

看上去這是進步，是成熟，其實做法自斃，已伏下危機。不過，對唐代詩人不致大害。以下**沈佺期**（約六五〇—約七一四）詩一首，來看七律的圓熟：

〈古意呈補闕喬知之〉

盧家少婦鬱金堂，海燕雙棲玳瑁梁。
九月寒砧催木葉，十年征戍憶遼陽。
白狼河北音書斷，丹鳳城南秋夜長。
誰謂含愁獨不見，更教明月照流黃。——流黃，黃繭之絲。

陳子昂（約六六一——七〇二），不附庸沈宋體系，獨樹一幟。我對陳子昂情有獨鍾。他是文官，還曾隨軍東征契丹，後父親病重，辭官還鄉里，竟被貪吏關押，死於牢中，四十三歲。他的性格、品質，是魏晉風度的精神苗裔。

〈感遇詩三十八首〉之三十五

本為貴公子，平生實愛才。
感時思報國，拔劍起蒿萊。
西馳丁零塞，北上單于臺。——丁零，匈奴。

登山見千里，懷古心悠哉。
誰言未忘禍，磨滅成塵埃。

這樣的詩，在當時徐庾體盛行之際，當然是難能可貴。而現在看來，又覺得人生觀世界觀逃不出報國、殺敵、懷古、人生無常這類概念性的主題。與陳子昂同時，而亦不受沈宋拘束者，尚有劉希夷、張若虛——而子昂真像一位男高音，先引吭高歌：

〈登幽州臺歌〉
前不見古人，後不見來者。
念天地之悠悠，獨愴然而涕下。

盛唐詩人——李白、杜甫

開元、天寶，中國文藝復興的幕布徐徐拉開，主角很多，太多——李白是男中音，杜甫是男低音。李白飄逸清駿，天馬行空，怒濤回浪。杜甫沉穩莊肅，永夜角聲，中天月色。他們既能循規蹈矩，又得才華橫溢，真真大天才，隨你怎樣弄，弄不死他。

從前的文士總糾纏於李杜的比較，想比出高低來。他們二人恰是好朋友——不必比較。

李白（七〇一—七六二），字太白，號青蓮。誕於蜀，原籍隴西。少年時，宏放任俠，一說因事手刃數人，逃亡路線經岷山、襄漢、洞庭，東至金陵、揚州。因識郭子儀（唐名將，身繫唐室安危者二十年），得脫罪。既去齊魯，與孔巢父諸人交遊，大概就在這時結交杜甫。李白喜歡嘲弄杜甫。杜甫沉摯，真愛李白。李白的性格很明亮，像唐三彩上的釉。他喜歡誇張吹牛，奇的是不令人討厭。什麼道理呢？他畢竟有底。他寫給韓荊州的信〈與韓荊州書〉中有說：

白隴西布衣，流落楚漢。十五好劍術，徧干諸侯。三十成文章，歷抵卿相。

明明是大話，但單看文字音節，就好。而且劍術有兩下子，否則一人怎能殺數人？李白是個人生模仿藝術的大孩子，據說有外國血統，通外文，長相異於漢種，思想屬於道家一路。賀知章（六五九—七四四），玄宗時禮部侍郎，精書法，曠達善談，山陰人，見李白，歎曰：「子誠謫仙人也。」李白病卒於安徽當塗，年六十二。

李白，與杜甫結識，喜歡嘲弄杜甫。賀知章見李白，歎曰：「子誠謫仙人也。」

杜甫（七一二—七七〇），字子美，號少陵，湖北襄陽人。祖父是文學家。少貧。開元年間在蘇州、紹興一帶遊歷。曾赴京兆（長安）應進士試，不第。天寶時曾作一詩，有自傳性：

〈奉贈韋左丞丈〉

紈絝不餓死，儒冠多誤身。
丈人試靜聽，賤子請具陳。
甫昔少年日，早充觀國賓。

讀書破萬卷，下筆如有神。
賦料揚雄敵，詩看子建親。
李邕求識面，王翰願卜鄰。
自謂頗挺出，立登要路津。
致君堯舜上，再使風俗淳。
此意竟蕭條，行歌非隱淪。
騎驢三十載，旅食京華春。
朝扣富兒門，暮隨肥馬塵。
殘杯與冷炙，到處潛悲辛。
……
今欲東入海，即將西去秦。
尚憐終南山，回首清渭濱。
常擬報一飯，況懷辭大臣。
白鷗沒浩蕩，萬里誰能馴？

唐代詩人善於推銷自己，我並無反感。韓愈差些，喉急。杜甫儘管說自己好，其實他自己比他說的要好得多。後來終於被玄宗注意了，使侍制集賢院，授右衛率府胄曹參軍。安祿山之亂，長安陷落，玄宗逃到四川，杜甫為賊所捕，困居長安城中。

〈春望〉

國破山河在，城春草木深。
感時花濺淚，恨別鳥驚心。
烽火連三月，家書抵萬金。
白頭搔更短，渾欲不勝簪。

歷史就是命運。神秘在安祿山亂時，浪漫主義全盛期過去了，完成了，李白可以退休了，杜甫的天性本是沉鬱的，悲劇性的，正合適寫憂傷離亂。如果杜甫一生富貴、繁華安樂，他的詩才發揮不到這樣高。他的詩，一部分我作為藝術看，一部分作為史料看。

杜甫，祖父是文學家，少貧。杜甫本性沉鬱，正合適寫憂傷雜亂。

李白是浪漫主義全盛期的代表——上帝真是大導演，會選主角，讓杜甫在安祿山之亂後寫動亂中的唐朝，例如：

〈宿府〉

永夜角聲悲自語，中天月色好誰看？

這是貝多芬交響樂慢板的境界（音樂豐厚，詩比起來，單薄了）。晚年七律：

〈登高〉

風急天高猿嘯哀，渚清沙白鳥飛回。
無邊落木蕭蕭下，不盡長江滾滾來。
萬里悲秋常作客，百年多病獨登臺。
艱難苦恨繁霜鬢，潦倒新停濁酒杯。

近乎鋼琴協奏曲，有貝多芬、布拉姆斯風範。杜甫功力極深，請特別注意他的聯句，對仗工整，感覺不出用力，而且無懈可擊。另一個特徵是，別人忽略的、不去寫的東西，他偏寫，寫得精彩，大手筆：

〈述懷一首〉

……

麻鞋見天子，衣袖露兩肘。
朝廷愍生還，親故傷老醜。
涕淚授拾遺，流離主恩厚。
柴門雖得去，未忍即開口。
寄書問三川，不知家在否。
比聞同罹禍，殺戮到雞狗。
山中漏茅屋，誰復依戶牖。
摧頹蒼松根，地冷骨未朽。
幾人全性命，盡室豈相偶。

嶔岑猛虎場，鬱結回我首。
自寄一封書，今已十月後。
反畏消息來，寸心亦何有。
……

教我讀杜詩的老師，是我母親，時為抗戰逃難期間。我年紀小，母親講解了，才覺得好，因此鬧了話柄：有一次家宴，談起沈雁冰的父親死後，他母親親筆作了輓聯。有人說難得，有人說普通，有人說章太炎夫人湯國梨詩好（湯是烏鎮人），我忍不住說：

「寫詩嘛，至少要像杜甫那樣才好說寫詩。」

親戚長輩哄堂大笑，有的認為我狂妄，有的說我將來要做呆頭女婿，有的解圍道：童言無忌，童言無忌。更有挖苦的，說我是「四金剛騰雲，懸空八隻腳」。我窘得面紅耳赤，想想呢，自己沒說錯，要害是「至少」兩字，其他人根本沒有位置，親戚們當然要笑我褻瀆神聖，後來見到，還要問：

「阿中，近來還讀杜詩嗎？」

杜甫晚年攜家避居夔州，五十五歲了。〈秋興八首〉即為晚年之作，「晚節漸於詩律細」。「老來漸知粗中細，細到頭來又變粗」，各人的路不同，一般人只不過是自己老了，也細了，就沾沾自喜近乎杜甫了，其實恐怕細不久就斷了。

杜甫又飄遊四方，出瞿塘，下江陵，溯沅、湘，以登衡山，卒達耒陽。時發大水，十日不得食，縣令知之，送酒食至。據說有牛肉和白酒，因為吃了不消化，又大醉，死於客舍。

讀杜詩，要全面，不能單看他憂時、懷君、記事、刺史那幾方面。他有抒情的、唯美的，甚至形式主義的很多面。

不必說杜甫是中國最大的詩人，我在《瓊美卡隨想錄》中是這樣給杜甫定位的：「如果抽掉杜甫的作品，一部《全唐詩》會不會有塌下來的樣子。」

第22講

唐詩（二）

王勃　王之渙〈涼州詞〉　王昌齡　高適　杜甫〈望嶽〉

1990.3.30

據説開元間，王之渙與高適、王昌齡赴酒樓，有名伶唱曲，三人相約，以自己的詩被唱多寡的機會來定高下。先是高適的作品被唱了，高適得意，王昌齡的作品接著也被唱了，兩人都意氣揚揚望著王之渙。王之渙説，不急，要看其中最美的一位歌者唱什麼。最後輪到她了，便唱了「折楊柳」羌笛曲。

按理説，李白是唐詩人第一，但實在是杜甫更高，更全能。杜晚年作品，總令我想起貝多芬。

從無馬到脫韁

有人來聽聽，又不來了。現在聽者比較穩定了。前期是「無政府主義」，現在是「企業化」。藝術家應該是「無政府主義」，但人類後來「無」不下去了，就「企業」。我們也如此，無可奈何地「進化」。

大家不耐煩聽史跡，都想聽我講觀點。

觀點是什麼？馬的韁繩。快、慢、左、右、停、起，由韁繩決定。問：韁繩在手，底下有馬乎？我注意韁繩和馬的關係。手中有韁，胯下無馬，不行。

所謂馬，即文學藝術，怕走亂了，所以要韁繩。先古藝術是沒有韁繩的，好極了，天馬行空。不要把韁繩看得無往而不利。我是先無韁，後有韁，再後脫韁——將來，我什麼觀點也不要。

觀點有用，又無用，無用，又有用。最後都要脫韁的。

為什麼大家著急聽觀點？圖方便。

我要是真的來擺觀點，不那麼好消受的。如溪水流過，有人帶桶，帶杯子，或者麻袋，或者竹籃。杯桶可以盛水，麻袋竹籃漏光。

我的觀點，有的可發表，有的只能講講，有的，必得死後才可以發表。

譬如「看山不是山是要死人的」，你們懂嗎？

譬如「穆罕默德打電話給山，山不在」，什麼意思？怎麼解釋？不好消受的。

再譬如「天才與狂人相近」，不對，「天才與狂人正相反」，夠解釋的。

又如「生命好，好在沒有意義」，不能亂說的，要出問題的。

什麼時候能用這些觀點呢？有馬以後。

先無馬，後有馬，後千里馬，後脫韁——可以用我的觀點了。

畫家、音樂家，很直觀，更要擺脫觀點。

禪宗，最早祖師是釋迦的徒弟，見釋迦拈花，笑，得傳，再傳到達摩等等。有觀點嗎？不用說的。這還要高。

從前皇帝的老師有人叫「亞父」，太子的老師有人叫「洗馬」。你們都是「太子」，我做你們的「洗馬」。

小馬、大馬、千里馬——千萬不要騎驢（笑）。

以上還是觀點。下面講個故事：

丹青去意大利，路遇達文西和兩個學生，喬萬尼（Giovanni Pisano）和弗朗切斯卡（Piero della Francesca）。有人馬至，其中華衣者是拉斐爾，領頭人是沙萊（Salai，曾是達文西學生，見達文西老了，轉投拉斐爾門下）。只見沙萊抬起下巴，過達文西而不看。達文西見了，忙低下頭。拉斐爾見，向達文西深深行禮。徒弟丹青看在眼裡，知道達文西低頭是替叛徒的人性卑劣羞。到了郊外，達文西眼光復柔和。

拉斐爾說過：我給達文西解鞋帶都不配的。拉斐爾有馬，沙萊有馬。達文西不騎馬，走路。他不需要馬。

時時記得馬與轡繩的關係。

唐代詩人排名及其作品

這幾天在考慮，唐代詩人誰最有代表性？（「代表性」，是黨的說法，奇怪。）排下名來，只能是以下（硬硬心腸）：王勃、王之渙、王昌齡、高適、陳子昂、孟浩然、王維、崔顥、李白、杜甫、韓翃、孟郊、韓愈、劉禹錫、白居易、柳宗元、元稹、賈島、李賀、杜牧、李商隱。

王勃：

〈送杜少府之任蜀川〉

城闕輔三秦，風煙望五津。
與君離別意，同是宦遊人。
海內存知己，天涯若比鄰。
無為在歧路，兒女共沾巾。

這首詩易解，但要推敲。前兩句首聯，三四句頷聯，後兩句是頸聯，末二句是尾聯。此詩首聯與頸聯用對仗。通行者，是頷聯與頸聯用對仗，首尾兩聯不必對仗——上來就是佈景，壯闊，有氣派。到頸聯「海內」句，十足男子氣，陽剛，是唐詩中少有的陽氣。

讀天才的作品，自己也好像是天才一樣。

〈山中〉

長江悲已滯，萬里念將歸。
況屬高風晚，山山黃葉飛。

末一句最好。字很輕，景大。

據說開元間，王之渙（六八八—七四二）與高適、王昌齡赴酒樓，有名伶唱曲，三人相約，以自己的詩被唱多寡的機會來定高下。先是高適的作品被唱了，高適得意，王昌齡的作品接著也被唱了，兩人都意氣揚揚望著王之渙。王之渙說，不急，要看其中最美的一位歌者唱什麼。最後輪到她了，便唱了下面這首「折楊柳」羌笛曲：

〈涼州詞〉

黃河遠上白雲間，一片孤城萬仞山。
羌笛何須怨楊柳，春風不度玉門關。

前面王昌齡（六九八—七五六）的詩：

〈芙蓉樓送辛漸〉

寒雨連江夜入吳，平明送客楚山孤。
洛陽親友如相問，一片冰心在玉壺。

高適（七〇六—七六五）的詩，較有名的還有：

〈聽張立本女吟〉

危冠廣袖楚宮妝，獨步閒庭逐夜涼。
自把玉釵敲砌竹，清歌一曲月如霜。

就詩論詩，唐詩中這類詩作，是出類拔萃。

按理說，李白是唐詩人第一，但實在是杜甫更高，更全能。杜晚年作品，總令我想起貝多芬。李白才氣太盛，差點被才害死。讀李白，好像世上真有浪漫主義這麼一回事。唐人比西方人還浪漫。歌德說，各時代的特徵都是浪漫主義。我說，青年人會嚮往各種主義，但要他們自己提出主義，只能是浪漫主義。

騷人（離騷之騷），詩人也。遷客，貶官也。

李、杜二人，承繼有別。李白承繼《楚辭》，杜甫承繼《詩經》。

杜甫：

〈望嶽〉

岱宗夫如何？齊魯青未了。
造化鍾神秀，陰陽割昏曉。

盪胸生層雲，決眥入歸鳥。
會當凌絕頂，一覽眾山小。

頭兩句的意思：泰山如何呢，去齊魯之國，遠遠能望見青山山影，起句以遠距離托出泰山之高。這是全唐詩中最奇句。直到明朝的莫如忠，還感慨道：「齊魯到今青未了，題詩誰繼杜陵人？」（〈登東郡望嶽樓〉）。

向日為陽，山背為陰，天色一昏一曉，判然於山的陰陽面，大膽用了「割」字，韻極佳——至此已近泰山。

再近，細看，雲層出不窮，心胸受滌蕩，長時目不轉睛，眼眶要裂了似地，歸鳥飛，天已暮。

「會當」，唐人口語，「一定要」。

這首詩刻石於泰山麓，鑒為絕唱。杜甫作此詩，時二十四歲。

〈夢李白〉（二首）

死別已吞聲，生別常惻惻。
江南瘴癘地，逐客無消息。
故人入我夢，明我長相憶。
恐非平生魂，路遠不可測。
魂來楓葉青，魂返關塞黑。——夢中。
君今在羅網，何以有羽翼？
落月滿屋梁，猶疑照顏色。
水深波浪闊，無使蛟龍得。——夢醒。
浮雲終日行，遊子久不至。
三夜頻夢君，情親見君意。
告歸常局促，苦道來不易。
江湖多風波，舟楫恐失墜。
出門搔白首，若負平生志。
冠蓋滿京華，斯人獨憔悴。

孰云網恢恢，將老身反累。
千秋萬歲名，寂寞身後事。

以死開始，亦以死（身後事）終。至性至誠之作，只有這等大詩人能寫出。《紅樓夢》中的詩，如水草。取出水，即不好。放在水中，好看。

第23講

唐詩（三）

杜甫〈詠懷古跡〉　韓翃〈寒食〉　李商隱〈無題〉

1990.4.13

杜甫是中國詩聖，貝多芬是德國樂聖，博大精深，沉鬱慷慨。貝多芬晚年的作品與杜甫晚年的作品相比，貝多芬就遠遠超越了。

哈姆雷特是天才，霍拉旭是天才的朋友，誰也少不了誰。兩者關係，是天才和朋友的關係、智慧和行動的關係。

李商隱是唐代唯一直通現代的詩人。唯美主義，神秘主義，偶爾硬起來，評古人，非常刻毒兇惡。

大家聽課應該是什麼態度？兩句老話：

正心誠意，陽明兼得。

前一句好解。後一句，「陽」，行動的意思；「明」，智慧、見解、立場的意思。

繼續講杜甫。〈秋興〉八首，向來受推崇，為杜甫晚年爐火純青的傑作，而且是長詩。杜甫自道「晚節漸於詩律細」，史見各家評論，莫不竭盡稱頌。我感到遺憾的是，刻意在文字上求精工，意象僵澀。而其中最高的境界，還是帝皇、天、神話，因而想到中國歷代詩人的形上境界，總是高不上去，離不開治國平天下之類。

杜甫是中國詩聖，貝多芬是德國樂聖，博大精深，沉鬱慷慨。貝多芬晚年的作品與杜甫晚年的作品相比，貝多芬就遠遠超越了。

想想害怕。假如我生在唐代，生在民國前任何一個朝代，怎麼可能突破詩的體裁，自開新路？絕、律、詞、曲的宿命局限性，無論如何不能與音樂同飛翔。我寫過古體詩詞，知道舊瓶裝不了新酒，而現代詩中的情操意象，古代人完全不可想像。

再推論下去，人類的偉大高貴，完全在於精神生活，在於少數的精神貴族，亦即天才和天才的朋友（欣賞者）。

哈姆雷特的近侍，是霍拉旭（Horatio，又譯作霍雷肖）。上次劉軍電話中聽我提起霍拉旭，興致大發，就哈姆雷特與霍拉旭的關係談了一個多小時。他說好像是久不洗澡，忽然洗了個熱水浴，又給冷水淋了一遍。

哈姆雷特是天才，霍拉旭是天才的朋友，誰也少不了誰。兩者關係，是天才和朋友的關係、智慧和行動的關係。

哈姆雷特臨死時，霍拉旭要自殉，哈姆雷特說：「你得活下去，把這件事告訴世人。」霍拉旭答應了，天才死了，天才的朋友為天才作證，甚至可以說，藝術家是通過朋友的手才把禮物贈給世界的。

所謂史家、評家、收藏家、媒體傳播家、演奏家、指揮家，都是天才的朋友。長期的朋友，後來成熟了，正式成了天才，朋友又來了——朋友中，有的人後來成熟，上升為天才，這便是天才的家譜。

有詩為證。請看杜甫：

〈詠懷古跡〉

搖落深知宋玉悲，風流儒雅亦吾師。
悵望千秋一灑淚，蕭條異代不同時。
江山故宅空文藻，雲雨荒臺豈夢思。
最是楚宮俱泯滅，舟人指點到今疑。

宋玉是屈原的學生，為老師寫過賦——最初為徒時，是天才的朋友，後來自升為天才。杜甫年幼時，不敢自比屈原、宋玉，只是個景仰者，到了他寫這首詩時，無疑是大詩人了，絕不在宋玉之下。但杜甫還是稱宋玉為師。

再下來，又有一個杜甫的學生（朋友），步了這首詩的韻：

飄泊春秋不自悲，山川造化非吾師。
花開龍岡談兵日，月落蠶房作史時。

蕭瑟中道多文藻，榮華晚代乏情思。
踪迹漸滅瑤臺路，仙人不指凡人疑。

這個中國詩人寫這首詩時，二十四歲，詩境已開拓為尼采型的自強者了。

或曰：「你有什麼資格在講文學史的時候夾進自己的詩？」我答：「請容許我做天才的學生和朋友。如果杜甫還在，我會把我的詩寄給他。」

溫州的夏承燾先生，號稱近百年第一詞家，浙江大學中國文學系教授。我們長談、通信，他每次寄作品來，都寫「木心仁兄指正」，他快近六十歲，我當時才二十幾歲。

我之所以在課堂中偶爾夾進自己的詩文，用心是：古典、古代、古人，與我們相隔遠了，火腿雖好，有的難免有哈喇味。罐頭食品固是老牌名牌，但我把自己當生菜沙拉送給大家開胃解膩，用心不可謂不好，老吃客很喜歡生菜的。

韓翃：

〈寒食〉

春城無處不飛花，寒食東風禦柳斜。
日暮漢宮傳蠟燭，輕煙散入五侯家。

寒食節的解釋有多種，最有據的是紀念介子推，表示晉文公的悔意。去掉這個典故，寒食，很美。一年中有一天吃冷食，遊玩賞春，多好。可惜後來不作興了。

唐德宗特賞此詩，韓翃本是小官，德宗提升他為駕部郎中知制誥，特別在委任狀上寫了此詩，批道：「與韓翃。」因為當時江淮刺史也叫韓翃。

這首好在純記印象，不發主見，而涵義似頌似刺。韻節、色調、氣象，渾然一體。

寒食，全國禁火，唯皇帝許可特敕京城街中燃火，近貴寵臣也分到這份「恩典」。「輕煙散入」，中官走馬傳燭。「五侯」，有兩說，一是東漢外戚梁冀一族，二是東漢桓帝宦官單超等。

不以唐而以漢入詩，一是拉開距離，二是暗寓諷刺。我認為這是最有「唐風」的一首詩。如果只選一首來代表「唐詩」，我推薦此首。

從史料看，白居易（七七二—八四六）是個向上爬的人，功名心強，但實在寫得好（談〈長恨歌〉、〈琵琶行〉，惜未記）。

杜牧（八〇三—八五二）：

〈過華清宮〉三首之一

長安回望繡成堆，山頂千門次第開。
一騎紅塵妃子笑，無人知是荔枝來。

〈江南春〉

千里鶯啼綠映紅，水村山郭酒旗風。
南朝四百八十寺，多少樓臺煙雨中。

杜牧反佛，以上絕句也不表主見，純記印象。

李商隱（約八一二或八一三—約八五八），是唐代唯一直通現代的詩人。唯美主義、神秘主義，偶爾硬起來，評古人，非常刻毒兇惡。

〈無題〉四首之二

颯颯東風細雨來，芙蓉塘外有輕雷。
金蟾齧鎖燒香入，玉虎牽絲汲井回。
賈氏窺簾韓掾少，宓妃留枕魏王才。
春心莫共花爭發，一寸相思一寸灰。

華麗，深情，典雅。首句、末句，自然，滋潤。和蕭邦一樣，有分寸，非常有分寸。一、二句不必對，三、四、五、六要對，尾句不必對。

〈錦瑟〉

錦瑟無端五十弦，一弦一柱思華年。
莊生曉夢迷蝴蝶，望帝春心托杜鵑。
滄海月明珠有淚，藍田日暖玉生煙。
此情可待成追憶，只是當時已惘然。

我仿李商隱詩如下：

滄海藍田共烟霞，珠玉冷暖在誰家。
金人莫論興衰事，銅仙慣乘來去車。
孤艇酒酣焚經典，高枝月明判鳳鴉。
蓬萊枯死三千樹，為君重滿碧桃花。

第24講

宋詞（一）

李煜　范仲淹　晏殊　歐陽修　晏幾道　王安石　蘇東坡　秦觀

1990.4.28

後主李煜，被稱為「詞中之帝，亡國之君」。

有人評「李後主亂頭粗服皆好」，似乎中肯，我以為不對：幾時亂了頭、粗了服？自然界從來沒有「亂頭粗服」的花，李後主是「天生麗質」，和別人一比，別人或平民氣，或貴族氣，他是帝王氣。

范仲淹「先天下之憂」的名句，很正經。但寫起詞來，和女人一樣善感——詞人一寫詞，都像女人一樣。

詞本來是小品，是小提琴。打仗可用槍炮，不要勉強小提琴去打仗。有人說：我的文學有志報國！很好，你去報國，不要弄文學。

詩，格律嚴謹，有流弊。好處是深諳格律後，任何事皆可入詩：交際、文告、通信，連判決也能以詩出——更不必說抒情詩。愛情，滿有意思的，一舉一動都帶著詩性——文雅，達意，連罵人、損人、酒令，也用詩。當時就是這麼流行，今天能這麼試試嗎？

是實驗，也是遊戲。我答應過大家：以諸位名字入七絕詩最後一行。讚、諷、賞、勸，都入詩：

金高

玉做鬢釵錦作袍，疑曾瀛臺共早朝。
拋卻神州干戈事，金風滌蕩秋雲高。——喻女性貴族。喻對中國的絕望。

丹青

蒿萊生涯劇可憐，幸有佛耳雙垂肩。
桐花萬里山山路，獨折丹桂上青天。——典：鳳凰非梧桐不停。

素寧

慣裁玉筆獨沉吟，情到恨時轉多情。
不爭春柳烟媚色，素心秋蘭自寧馨。

葆元

昂藏七尺眉軒雄，坐似靜山行如風。
毋友太不如己者，葆真歸元道無窮。

全武

李家從來韻事多，畫壇情場不蹉跎。
金屋新藏碧眸女，全憑文武韜略何。

學林

知君用心如月明，月照溝渠波難清。
家有嫏嬛一角好，學滿五車入瓊林。——典：嫏嬛，上帝的圖書館。

立偉

沛國曹門出詩魁，風流千古意徘徊。
錦心繡口破萬卷，授筆立就氣英偉。

李菁

楊家有女新長成，春來細著綠羅裙。
隨郎歸看晴沙岸，李白行過草菁菁。

捷明

粵海荔灣結君廬，朝聞福音夕反芻。
程門立雪深一尺，才思便捷瀉明珠。

秋虹

娟娟貞女禮岱宗，夫子最憐香膏濃。

忽聞清磬斷復續，秋霖才過仰彩虹。

雅容

為拯大夏覓英雄，破浪乘風不計功。
報來達賴喇嘛使，玉肩咿啞迎笑容。

李和

藝侶春明樂同科，畫樑穩棲呢喃多。
東風不嫌翠羽薄，桃李門牆合祥和。

再無事，再不相干，再難，我可以弄他成詩。

東來紫氣已遲遲，群公有師我無師。
一夕絳帳風飄去，木鐸含心終不知。——從前儒家講課，有紅帳，開課，稱絳帳。

一對鸚䳇並頭語，軟玉溫香誰及伊。
自勞自食逍遙客，似識世上盡執迷。

其舌如簧，其羽若錦。
偶逢枝頭，顧盼生情。

墨可作五色，五色與墨同。
禰衡一賦在，千古笑曹公。

要有「會當凌絕頂」之概——山不是你的，但要登頂。
諸位不要抄。以上不是詩。

李煜：詞中之帝

絕句、律句，自齊到唐，到全盛期，漸漸太過成熟而爛。很像生物，會生長、發展、衰老、殘敗。這就是文化形態學。文化是個大生命，作者的個人生命附著於這大生命。有時候，時代還沒開花，他先開花了。

詞，開始得很早。在唐代，李白已寫詞，寫得很好。愈是有才華，愈是敏感的詩人、文人，愈是開風氣之先。盛唐時期，李白就寫出〈菩薩蠻〉：

平林漠漠煙如織，寒山一帶傷心碧。暝色入高樓，有人樓上愁。　玉階空佇立，宿鳥歸飛急。何處是歸程？長亭更短亭。

還有他的〈憶秦娥〉：

簫聲咽，秦娥夢斷秦樓月。秦樓月，年年柳色，灞陵傷別。　樂遊原上清秋節，咸陽古道音塵絕。音塵絕，西風殘照，漢家陵闕。

當然，這兩首詞的作者自古考證不定，多數學者認為是李白寫的。即使不是，也是唐人之作，開風氣之先無疑。

到南唐，李家出大詞家，完全成熟。南唐二主，可說是詞祖，後主李煜，被稱為「詞中之帝，亡國之君」。

先講南唐中主李璟（九一六—九六一），他傳世之作僅三首（或四首），憑這樣幾首詞而在中國文學史占一席地，太便宜了，做皇帝總是合算。

〈浣溪沙〉

菡萏香銷翠葉殘。西風愁起綠波間。還與容光共憔悴，不堪看。　細雨夢回雞塞遠。小樓吹徹玉笙寒。多少淚珠何限恨，倚闌干。

真是享樂主義，是愛情至上、唯美主義的皇帝。雞塞：雞鹿塞，陝西橫山縣西。軼事：馮延巳作〈謁金門〉，有「風乍起，吹皺一池春水」，中主云「干卿何事」，對曰「未若陛下小樓吹徹玉笙寒」也。

後主李煜（九三七—九七八），字重光。善屬文，工書畫，妙音律，嘗著

《雜說》百篇，時人比之曹丕《典論》，又有集十卷，不傳。傳於今者詩詞五十餘首，他不幸是末代皇帝，宋興師滅南唐，煜降而被俘，最後被毒死。他的詞明顯地分兩時期，早期宮廷生涯，豪華富貴，晚期沉痛悲愴。

〈浣溪沙〉

紅日已高三丈透，金爐次第添香獸。紅錦地衣隨步皺。　佳人舞點金釵溜。酒惡時拈花蕊嗅。別殿遙聞簫鼓奏。

〈玉樓春〉

晚妝初了明肌雪。春殿嬪娥魚貫列。笙簫吹斷水雲間，重按霓裳歌遍徹。臨風誰更飄香屑。醉拍闌干情味切。歸時休照燭光紅，待放馬蹄清夜月。

〈望江南〉

多少恨，昨夜夢魂中，還似舊時遊上苑，車如流水馬如龍，花月正春風……。

〈清平樂〉

別來春半。觸目愁腸斷。砌下落梅如雪亂，拂了一身還滿。　雁來音信無憑，路遙歸夢難成。離恨恰如春草，更行更遠還生。

〈搗練子令〉

深院靜，小庭空。斷續寒砧斷續風，無奈夜長人不寐，數聲和月到簾櫳。

〈相見歡〉

無言獨上西樓，月如鉤，寂寞梧桐深院鎖清秋。剪不斷，理還亂，是離愁，別是一般滋味在心頭。

〈破陣子〉

四十年來家國，三千里地山河。鳳閣龍樓連霄漢，瓊枝玉樹作煙蘿。幾曾識干戈。　一旦歸為臣虜，沈腰潘鬢消磨。最是倉皇辭廟日，教坊猶奏別離歌，垂淚對宮娥。

〈虞美人〉

春花秋月何時了。往事知多少。小樓昨夜又東風，故國不堪回首月明中。

雕欄玉砌應猶在，只是朱顏改。問君能有幾多愁，恰似一江春水向東流。

〈浪淘沙〉

簾外雨潺潺，春意闌珊。羅衾不耐五更寒。夢裡不知身是客，一晌貪歡。

獨自莫憑欄，無限江山。別時容易見時難。流水落花春去也，天上人間。

真是絕命詩也。李煜的詞，究竟怎樣來看？

一，純發乎至性，直抒心懷，內在的醇粹，如花如玉，所以不必提煉造作。後來的詞家，再也沒有李後主的自然。

二，形式處理有其天然的精美，想也不想到什麼人工雕飾。有人評「李後主亂頭粗服皆好」，似乎中肯，我以為不對：幾時亂了頭、粗了服？自然界從來沒有「亂頭粗服」的花，李後主是「天生麗質」，和別人一比，別人或平民氣，或貴族氣，他是帝王氣。

三，藝術沒有第一名，詞也沒有第一名，李煜並非寫得「最好」，他是他自己的好，風格性強。就文學風格言，他每一首詞就有一個整體感，值得畫家參悟。範寬《溪山行旅圖》，繁複之極，整體感卻強得沒話說。

這是先天性的問題，所謂力的涵蓋美。莫札特說，他就像對待一只蘋果那樣對待一部交響樂（先天稟賦不濟的藝術家，後天可以補，補得好，也可像是先天有那份光榮）。

李煜不是偉大，是天才，但被後人評為偉大的詩人。說他年輕時唯美主義，愛情至上，遭亡國之痛，被俘後寫出悲傷感人的詩篇——這樣就算偉大嗎？以上評論還是迂腐。我認為他是幾位天才詞家之一，他的想像是個人的，他的人格不具象徵性，但他的悲傷上升不到偉大的境界。

屈原、杜甫，那是偉大，可是和莎士比亞相映照，分量不夠了——中國的詩，量、質，無疑是世界上最大的詩國，可是真正偉大的世界意義的詩人，一個也沒有。

宋詞各家及作品

二李（皇帝）之後，宋的詞家有：范仲淹、晏殊、宋祁、張先、歐陽修、柳永、晏幾道、王安石、蘇軾、秦觀、賀鑄、周邦彥、李清照、辛棄疾、姜夔、吳文英，共十六家。

晚唐時，詞已盛行。南唐，出二李。至宋，詞成為主要的創作形式。唐安史之亂結束後（天寶年間，安祿山反叛長安，後為子殺，其子又為別人殺，史稱安史之亂），宋初出現所謂「百年盛世」時期，百年間比較安定，城市經濟繁華，中心在汴京，文化漸盛。妓院館樓需唱，詞於是發達，上下階層均歡迎，上層寫雅詞，下層寫俚詞。

中國的文化，秦以前是人民的文學，秦以後是士大夫的文學，前後起到感情平衡的作用。士大夫的雅，寄託於文學。所謂「詩言志」，我以為其實是「詩言情」。皇帝、大臣、刺史、州官，全會寫詩。

范仲淹「先天下之憂」的名句，很正經。但寫起詞來，和女人一樣善感——

詞人一寫詞，都像女人一樣。

詞分所謂「婉約派」和「豪放派」。以西方的說法，是柔美、壯美之分。向來是婉約派占上風，算是詞的正宗。但為人所罵，說是兒女私情、風花雪月，又推崇蘇東坡、辛棄疾等——我以為不對，弄錯了。

詞本來是小品，是小提琴。打仗可用槍炮，不要勉強小提琴去打仗。有人說：我的文學有志報國！很好，你去報國，不要弄文學。

范仲淹（九八九—一〇五二）：

〈**蘇幕遮**〉

碧雲天，黃葉地。秋色連波，波上寒煙翠。山映斜陽天接水。芳草無情，更在斜陽外。　　黯鄉魂，追旅思。夜夜除非，好夢留人睡。明月樓高休獨倚。酒入愁腸，化作相思淚。

〈漁家傲〉

塞下秋來風景異。衡陽雁去無留意。四面邊聲連角起。千嶂裡。長煙落日孤城閉。 濁酒一杯家萬里。燕然未勒歸無計。羌管悠悠霜滿地。人不寐。將軍白髮征夫淚。（近乎壯美。）

范仲淹，寫起詞來，和女人一樣善感。

晏殊（九九一—一〇五五）：

〈浣溪沙〉

一曲新詞酒一杯，去年天氣舊亭臺，夕陽西下幾時回。 無可奈何花落去，似曾相識燕歸來，小園香徑獨徘徊。（他是大玩家，一生幸福。）

宋祁（九九八—一〇六一）：

〈玉樓春〉

東城漸覺風光好，縠皺波紋迎客棹。綠楊煙外曉寒輕，紅杏枝頭春意鬧。

浮生長恨歡娛少，肯愛千金輕一笑。為君持酒勸斜陽，且向花間留晚照。

張先（九九〇—一〇七八）：

〈天仙子〉

水調數聲持酒聽。午醉醒來愁未醒。送春春去幾時回？臨晚鏡。傷流景。往事後期空記省。　沙上並禽池上暝，雲破月來花弄影。重重簾幕密遮燈，風不定。人初靜，明日落紅應滿徑。

歐陽修（一〇〇七—一〇七三）：

〈阮郎歸〉

南園春半踏青時。風和聞馬嘶。青梅如豆柳如眉。日長蝴蝶飛。　花露重，草煙低。人家簾幕垂。秋千慵困解羅衣。畫梁雙燕棲。（一點不用力氣，色調控制得非常好。）

晏幾道（約一〇三〇—一一〇六）：

〈臨江仙〉

夢後樓臺高鎖，酒醒簾幕低垂。去年春恨卻來時，落花人獨立，微雨燕雙飛。　記得小蘋初見，兩重心字羅衣。琵琶弦上說相思，當時明月在，曾照彩雲歸。

王安石（一〇二一—一〇八六）：

〈桂枝香〉

登臨送目。正故園晚秋，天氣初肅。千里澄江似練，翠峰如簇。歸帆去棹殘陽裡，背西風、酒旗斜矗。綵舟雲淡，星河鷺起，畫圖難足。　念往昔、繁華競逐。歎門外樓頭，悲恨相續。千古憑高，對此謾嗟榮辱。六朝舊事隨流水，但寒煙、芳草凝綠。至今商女，時時猶唱，後庭遺曲。

王安石

蘇東坡（一〇三七—一一〇一）：

〈**水調歌頭**〉

明月幾時有？把酒問青天。不知天上宮闕，今夕是何年。我欲乘風歸去，又恐瓊樓玉宇，高處不勝寒。起舞弄清影，何似在人間？　轉朱閣，低綺戶，照無眠。不應有恨，何事長向別時圓。人有悲歡離合，月有陰晴圓缺，此事古難全。但願人長久，千里共嬋娟。

秦觀（一〇四九—一一〇〇）：

〈**滿庭芳**〉

山抹微雲，天連衰草，畫角聲斷譙門。暫停征棹，聊共引離尊。多少蓬萊舊事，空回首、煙靄紛紛。斜陽外，寒鴉數點，流水繞孤村。　銷魂，當此際，香囊暗解，羅帶輕分。漫贏得青樓，薄倖名存。此去何時見也？襟袖上、空染啼痕。傷情處，高樓望斷，燈火已黃昏。

第25講

宋詞（二）

秦觀　賀鑄　周邦彥　李清照　辛棄疾　姜夔　吳文英

1990.5.11

秦觀，歷史上對他的評價還不高，還不全面。我以為詞有幾家是行家：柳永、秦觀、李清照、周邦彥、吳文英，是正宗行家。蘇東坡、王安石等，不是正宗詞家，是好詞家。

詩詞的迷人，是迷人在意思不同，聲音好聽。

李清照，她的生平就是藝術品。父親是大學問家，名門閨秀，夫婿又是大文人。她是清官的後裔，無多財。李清照回憶夫婿的散文，寫得好極！
她的文學評論也很尖刻，幾乎宋代詞家無一人看得上。

（課前看畫冊）馬蒂斯（Henri Matisse）——現在看他們，不一樣了，廢品太多。包括印象派，後人還應該精化。藝術家，最好是晚年達到連自己都意外的境界——少年、中年，想不到老年能畫出這樣的畫來。

舒伯特、貝多芬如果不死，還有得好寫。

中國的中世紀文學，詩、詞，今天要講完。下次講中世紀的波斯文學。但中國的中世紀文學講不完，還有小說，還有東西。

秦觀，歷史上對他的評價還不高，還不全面（我以為詞有幾家是行家：柳永、秦觀、李清照、周邦彥、吳文英，是正宗行家。蘇東坡、王安石等，不是正宗詞家，是好詞家）：

〈望海潮〉

梅英疏淡，冰澌溶泄，東風暗換年華（在詩裡少用，在此用很生動）。金谷俊遊，銅駝巷陌，新晴細履平沙（無可寫，寫，寫得妙）。長記誤隨車。正絮翻蝶舞，芳思交加（不通的，但好極了）。柳下桃蹊，亂分春色到人家（太好了）。

西園夜飲鳴笳。有華燈礙月，飛蓋妨花。蘭苑未空，行人漸老，重來是事堪嗟。煙暝酒旗斜。但倚樓極目，時見棲鴉。無奈歸心，暗隨流水到天涯。

全篇反思綿綿，真正詞家。詩詞的迷人，是迷人在意思不同，聲音好聽。後半闋不如前，但貫氣。柳永更是通篇貫氣，轉折也更多。

下面再來一首秦觀：

〈鵲橋仙〉

纖雲弄巧，飛星傳恨，銀漢迢迢暗度。金風玉露一相逢（好句），便勝卻、人間無數（隨意鋪鋪，因有好句在胸）。　柔情似水，佳期如夢，忍顧鵲橋歸路。兩情若是久長時，又豈在、朝朝暮暮（這兩句，好句）。

這首詞我從小讀了就感動，感動到現在。才華豐潤，真懂得用情。

〈**滿庭芳**〉

曉色雲開，春隨人意，驟雨才還晴。古臺芳榭，飛燕蹴紅英。舞困榆錢自落，秋千外、綠水橋平（這兩句誇張，但非常自然）。東風裡，朱門映柳，低按小秦箏（典型宋味）。　　多情，行樂處，珠鈿翠蓋（指男），玉轡紅纓（指女）。漸酒空金榼，花困蓬瀛。豆蔻梢頭舊恨，十年夢、屈指堪驚。憑欄久，疏煙淡日，寂寞下蕪城。

這首詞，精練，唯美。

〈**踏莎行**〉

霧失樓臺，月迷津渡。桃源望斷無尋處。可堪孤館閉春寒，杜鵑聲裡斜陽暮。　　驛寄梅花，魚傳尺素。砌成此恨無重數。郴江幸自繞郴山，為誰流下瀟湘去。

自然，好，不必深究如何好法。蘇軾對這首詞大賞。

賀鑄（一〇五二－一一二五）：

〈青玉案〉　凌波不過橫塘路，但目送、芳塵去。錦瑟華年誰與度？月橋花院，瑣窗朱戶，只有春知處。　碧雲冉冉蘅皋暮，彩筆新題斷腸句。若問閒愁都幾許？一川煙草，滿城風絮，梅子黃時雨。（最後三句令人妒忌，後人因此稱賀鑄為「賀梅子」。）

周邦彥（一〇五六－一一二一）：

〈滿庭芳〉　風老鶯雛，雨肥梅子，午陰嘉樹清圓。地卑山近，衣潤費爐煙。人靜烏鳶自樂，小橋外，新淥濺濺。憑欄久，黃蘆苦竹，擬泛九江船。　年年。如社燕，飄流瀚海，來寄修椽。且莫思身外，長近尊前。憔悴江南倦客，不堪聽，急管繁弦。歌筵畔，先安簟枕，容我醉時眠。

每個人都記得一點唐詩宋詞。我臨睡前背背，就睡著了，真是風雅性感。

〈**蘇幕遮**〉

燎沉香，消溽暑。鳥雀呼晴，侵曉窺簷語。葉上初陽乾宿雨。水面清圓，一一風荷舉。

故鄉遙，何日去。家住吳門，久作長安旅。五月漁郎相憶否。小楫輕舟，夢入芙蓉浦。

李清照（一〇八四—一一五五），她的生平就是藝術品。父親是大學問家，名門閨秀，夫婿又是大文人。她是清官的後裔，無多財。李清照回憶夫婿的散文，寫得好極！

〈**醉花陰**〉

薄霧濃雲愁永晝，瑞腦銷金獸。佳節又重陽，玉枕紗廚，夜半涼初透。

東籬把酒黃昏後，有暗香盈袖。莫道不銷魂，簾卷西風，人似黃花瘦。

李清照的丈夫得此詞，也作詞十五首，混入妻子的詞。請人點評，結果摘出李詞最後三句，稱最佳。

她的文學評論也很尖刻，幾乎宋代詞家無一人看得上。

〈聲聲慢〉

尋尋覓覓，冷冷清清，淒淒慘慘戚戚。乍暖還寒時候，最難將息（護理自己，古稱將息）。三杯兩盞淡酒，怎敵他，晚來風急。雁過也，正傷心，卻是舊時相識。滿地黃花堆積，憔悴損，如今有誰堪摘。守著窗兒，獨自怎生得黑。梧桐更兼細雨，到黃昏，點點滴滴。這次第，怎一個愁字了得！

（略〈西青散記〉，清代農家女詞人賀雙卿。）

〈念奴嬌〉

蕭條庭院，又斜風細雨、重門須閉。寵柳嬌花寒食近，種種惱人天氣。險韻詩成，扶頭酒醒，別是閑滋味。征鴻過盡、萬千心事難寄。　樓上幾日春寒，簾垂四面，玉欄干慵倚。被冷香消新夢覺，不許愁人不起。清露晨流，新桐初引（這兩句偷《世説新語》。原著中沒作用，她偷來就起作用。下句接得巧妙），多少遊春意。日高煙斂，更看今日晴未（這句好像只有女子能寫得出來）。

〈永遇樂〉

落日鎔金，暮雲合璧，人在何處。染柳煙濃，吹梅笛怨，春意知幾許。元宵佳節，融和天氣，次第豈無風雨。來相召，香車寶馬，謝他酒朋詩侶。中州盛日，閨門多暇，記得偏重三五。鋪翠冠兒，撚金雪柳，簇帶爭濟楚。如今憔悴，風鬟霜鬢，怕見夜間出去。不如向，簾兒底下，聽人笑語（這又是女子才能寫的句子，心腸、頭腦、才能俱好）。

〈武陵春〉

風住塵香花已盡，日晚倦梳頭。物是人非事事休。欲語淚先流。　聞說雙溪春尚好，也擬泛輕舟。只恐雙溪舴艋舟。載不動、許多愁。

辛棄疾（一一四〇—一二〇七），愛國詞人，其實「官倒」很厲害，貪污也多。

〈南鄉子・登京北口北固亭有懷〉

何處望神州？滿眼風光北固樓。千古興亡多少事，悠悠，不盡長江滾滾流。　年少萬兜鍪，坐斷東南戰未休（從「不盡長江」到這句，好在流暢，有本事）。天下英雄誰敵手？曹劉。生子當如孫仲謀。

〈永遇樂〉

千古江山，英雄無覓，孫仲謀處。舞榭歌臺，風流總被，雨打風吹去。斜陽草樹，尋常巷陌，人道寄奴曾住。想當年，金戈鐵馬，氣吞萬里如虎。

辛棄疾，愛國詞人。

元嘉草草，封狼居胥，贏得倉皇北顧。四十三年，望中猶記，烽火揚州路。可堪回首，佛狸祠下，一片神鴉社鼓。憑誰問，廉頗老矣，尚能飯否？

薑夔（一一五五—一二二一），也稱姜白石：

〈揚州慢〉

淳熙丙申至日，予過維揚。夜雪初霽，薺麥彌望。入其城則四顧蕭條，寒水自碧，暮色漸起，戍角悲吟。予懷愴然。感慨今昔，因自度此曲。千巖老人以為有黍離之悲也。

淮左名都，竹西佳處，解鞍少駐初程。（以下幾句似通非通，非常好）過春風十里，盡薺麥青青。自胡馬窺江去後，廢池喬木，猶厭言兵。漸黃昏，清角吹寒，都在空城。（以上，前半闋最好。） 杜郎俊賞，算而今、重到須驚。縱豆蔻詞工，青樓夢好，難賦深情。二十四橋仍在，波心蕩，冷月無聲。念橋邊紅藥（指玫瑰），年年知為誰生。

〈念奴嬌〉

鬧紅一舸，記來時，嘗與鴛鴦為侶。三十六陂人未到，水佩風裳無數。翠葉吹涼，玉容銷酒，更灑菰蒲雨。嫣然搖動，冷香飛上詩句。　日暮青蓋亭亭，情人不見，爭忍凌波去。只恐舞衣寒易落，愁入西風南浦。高柳垂陰，老魚吹浪，留我花間住。田田多少，幾回沙際歸路。

好在整個運用。寫荷花，一句不提荷花。筆致很順利、滋潤。

〈疏影〉

苔枝綴玉，有翠禽小小，枝上同宿。客裡相逢，籬角黃昏，無言自倚修竹。昭君不慣胡沙遠，但暗憶、江南江北。想佩環，月夜歸來，化作此花幽獨。　猶記深宮舊事，那人正睡裡，飛近蛾綠。莫似春風，不管盈盈，早與安排金屋。還教一片隨波去，又卻怨、玉龍哀曲。等恁時，重覓幽香，已入小窗橫幅。

這首詞重寫杜甫詩，用句用典，本事高。

〈**暗香**〉

舊時月色，算幾番照我，梅邊吹笛。喚起玉人，不管清寒與攀摘。何遜而今漸老，都忘卻、春風詞筆。但怪得、竹外疏花，香冷入瑤席。　江國，正寂寂。歎寄與路遙，夜雪初積。翠尊易泣，紅萼無言耿相憶，長記曾攜手處，千樹壓、西湖寒碧。又片片吹盡也，幾時見得。

詞家的好戲，是鋪過去、鋪過去，須好看，否則露馬腳。

〈**點絳唇**〉

燕雁無心，太湖西畔隨雲去。數峰清苦，商略黃昏雨（此二句，好句子）。第四橋邊，擬共天隨住。今何許，凭欄懷古，殘柳參差舞。

吳文英（約一二〇〇－一二六〇）：

〈八聲甘州〉

渺空煙四遠，是何年、青天墜長星。幻蒼厓雲樹，名娃金屋，殘霸宮城。箭徑酸風射眼，膩水染花腥。時靸雙鴛響，廊葉秋聲。　宮裡吳王沉醉，倩五湖倦客，獨釣醒醒。問蒼波無語，華髮奈山青。水涵空、闌干高處，送亂鴉、斜日落漁汀。連呼酒，上琴臺去，秋與雲平。

〈風入松〉

聽風聽雨過清明。愁草瘞花銘。樓前綠暗分攜路，一絲柳、一寸柔情。料峭春寒中酒，交加曉夢啼鶯。　西園日日掃林亭。依舊賞新晴。黃蜂頻撲秋千索，有當時、纖手香凝。惆悵雙鴛不到，幽階一夜苔生。

最後兩句不敢去解釋，一解，就破壞掉。憂傷到極點。元曲，是分散的沒有精練過的莎士比亞。

好，宋詞就馬馬虎虎講到這裡結束。

蕭邦的觸鍵，倪雲林（編按：倪瓚，一三〇一——一三七四。號雲林，元代畫家）的下筆，當我調理文字，與他們相近相通的。放下去，就要拿起來，若即若離。

第26講

中世紀波斯文學

魯達基　菲爾多西　海亞姆　波斯高蹈派　《薔薇園》　哈菲茲

1990.6.1

波斯第一大詩人，魯達基被稱為「詩中之王」。傳說他是瞎子，善琴、歌，在王前彈琴唱歌，後來失寵了，窮死。

詩、藝術，有波斯風、有中國風、法國風，但不要糾纏於地方色彩。可以有現實性、針對性、說理性，但不要沾沾自喜於反映時代，不要考慮藝術的時代和區域。

悲觀、懷疑、頹廢，始源是在東方，是中國、印度、波斯的智者、詩人，形成悲觀懷疑的大氣氛。

民國時，俄羅斯人、猶太人、波斯人，都到中國來。我們小時候叫波斯人「回回人」。波斯在古代是非常繁華的大國，被蒙古人征服後，幾百年翻不了身。

波斯古畫主要畫植物，不太畫人物、動物。波斯文學呢，恐怕大家一無所知。我備課時，中世紀波斯有好多詩人排在那裡，他們一個個好像在問：說不說我？

時間不夠，我只好割捨許多人。

那三百年，天上許多詩星都散到波斯去了。我少年時讀了不少，其實我的文學是受到波斯影響的。

文學黃金期之前的著名詩人

中世紀波斯受蒙古和阿拉伯侵略，武功失敗，文學上卻是成功的，如唐代，詩人輩出，也如中國，黃金時代一過，無以為繼。以文化形態學看，花已開過了。

波斯原始的詩不像中國《詩經》能保留下來，都遺散了，不很重要。我以為，是當時沒有出天才。從十世紀後，主要是十三、四世紀，是波斯詩的黃金時代。

中國文學、波斯文學，都太早熟。

阿拉伯人帶進波斯兩件禮物：伊斯蘭教、阿拉伯文。波斯人信從伊斯蘭教者很多，以阿拉伯文寫詩的也很多。所以，波斯詩分兩類：波斯文詩和阿拉伯文詩。

各種時代，各國詩人，各抓各的癢。

波斯第一大詩人，魯達基（Rudaki，Abu Abdollah Ja'far，八五〇—九四一），被稱為「詩中之王」。詩逾一百卷，多已失傳。傳說他是瞎子，善琴、歌，在王前彈琴唱歌，後來失寵了，窮死。他最得寵時，奴隸二百，行李需要上百匹駱駝背。像唐代，所有詩人都歌頌酒：

把那酒，你可以稱之為紅寶石融化於杯中的酒，
帶來給我，這酒還如一把出了鞘的寶刀，
在正午的陽光下照耀。
它是玫瑰的水，你可以說，蒸餾得純淨了。
它的悅人的甜蜜，如睡神之掌偷偷經過初倦的眼皮。
你可以稱那杯子為雲，那酒便是雲中落下的雨。
或可以說，你所長久祈禱的充滿心中的快樂，終於來到了。
如果沒有了酒，所有的心都要如一片荒漠，困悶而黑暗。
如果我們的生命的呼吸已經告終，一看見酒，生命便會回來。
啊，如果一隻鷹倏然飛下來，攫取了酒，帶到天空上去，帶到凡人不到之處，誰不會像我似的喊一聲「好呀」！

之後，另一詩人達恢恢（Abu-Mansur Daqiqi），寫過史詩，信仰波斯古教。大約是同性戀，史記說被他所愛的一個土耳其少年奴隸殺死了。他的史詩因此未完成。他的抒情詩名重一時，後來被別人作素材用。以下是他的一首抒情詩：

停留得太久了，我輕輕地想：走吧。
除非是一位貴賓，也許還可以停留。
然而井中的水，儲得時日太長，
便要失去流性，甜味也沒有了。

蘇丹馬默德（Mahmad，九四〇—一〇二〇）在位時，文學鼎盛。王善詩，宮廷詩人濟濟，以菲爾多西（Ferdowsi，約九三五—一〇二〇）最著名。有一天，三宮廷詩人宴飲，有異邦人想加入。三詩人故意為難：我們作詩聯句，三句後你能聯，入座，做朋友。他們故意將第四句的韻逼入最難處，不料來者輕易聯上。此人即菲爾多西。三詩人立即向王上報：發現大詩人。

菲爾多西被稱為波斯的荷馬，詞句華麗，意象無與倫比。情詩也寫得很出色。例一：

我的頭要是能偎靠在你胸前一夜，
它便要高揚到天空之上了；
我要把筆碎在水星的手指中，
我要把太陽的冠取來做獎品。
我的靈魂飛在九天之上，
高傲的土星還躺在我腳下，
啊，我真可憐那些愛我的人，
她們失望、悲苦，乃至死去，
如果你的美麗的嘴唇和眼睛成了我的。

菲爾多西有位老師，也是好友，**阿薩地**（Asadi），好詩人。蘇丹王想請阿薩地寫史書，一夜趕寫史詩四千韻。阿薩地善寫戰爭詩，自述五本書，以《日與夜》最有名。

以上是波斯文學黃金期之前的早期著名詩人。

開創新局面的詩人

另一群詩人開了新局面。代表人物：納綏爾．霍斯魯、歐瑪爾．海亞姆（我少年時很愛這位詩人，受影響）。

關於納綏爾．霍斯魯（Nasir I Khusraw，約一〇〇四—一〇八七，也譯作納賽爾．霍斯魯）的傳說很多。相傳他原是小國國王，後來被放逐，著散文體遊記。思辨，好說理，熱情，有勇氣。

雖然上帝創造了母親，胸乳和奶汁，
孩子卻要自己來吮吸。
你的靈魂是一本書，
你的行為是書的字句：
除了妙語警句，不要寫別的東西在你的靈魂上：
啊，兄弟，把美好的話寫下來吧，因為筆是在你自己手中的。

又如，在〈狄王〉（Diwan）中：

身體對於你是鐵鍊，
世界對於你是牢籠：
你竟以牢籠為家，
以鐵鍊為好東西麼？
你的靈魂是弱的，
且也赤裸裸無所事事：
去求智慧的剛強吧，
你的文字是種子，靈魂是農夫，
而世界是你的園地：
好好耕耘吧，接著你便有豐收。

歐瑪爾・海亞姆（Omar Khayyám，約一〇四八—一一三一。編按：木心在自己的作品中，譯名為莪默伽亞謨）的詩風，豪邁、曠達、深情，讀他的詩比讀李白的詩還親切。他是世界上名聲最高的波斯詩人，被稱為「東方之星」。英國文人愛德華．菲茲傑拉德譯了他的詩。他的詩不重個人，不重時空，有一種世界性。

詩、藝術，有波斯風、有中國風、法國風，但不要糾纏於地方色彩。可以有現實性、針對性、說理性，但不要沾沾自喜於反映時代，不要考慮藝術的時代和區域。

世界是通俗的、呆木的。藝術家打動這個世界，光憑藝術不夠，憑什麼呢？韻聞、軼事、半真半假的浪漫的傳說（宗教要靠神話，歷史要靠野史、外史，哲學要靠詭辯），說到底，藝術、宗教、歷史、哲學，能夠長流廣傳，都不是它們本身，而是本身之外的東西。

回到波斯。有一位尼達米回憶，他在宴飲中聽海亞姆說：

「我的墳，將來一定在一個地方，那裡，樹上的花，將每年兩次落在我上面。」

這似乎是不可能的。但後來海亞姆死了，約公元一一三六年時，尼達米去到海亞姆的墓地，是一個星期五的黃昏，只見那墳頭有一株梨樹、有一株桃樹，無數的花瓣幾乎蓋沒墳墓。尼達米想起海亞姆說過的話，掩面哭泣。

我所熟讀的是他的《魯拜集》（*The Rubaiyat*），是他最有名的代表作。魯拜（Robajo）是一種詩體，四行詩。全集一百五十八首。

巴巴・太哈（Baba Tahir），生於十一世紀。國王敬重這位詩人，兩人談論上帝，王慕聽，巴巴說上帝要我們講德行，王從，巴巴撿起一隻破瓶頸，給王，說：這是上帝送的指環。王就戴上——這是政治與文學最理想的關係。

巴巴仰慕**阿皮爾・客爾**（Abusa'id Abolkhayr，九六七—一〇四九），客爾是第一個把魯拜體作為表達宗教的、神秘的、哲學的思想的詩人。首次見面，分開後，人問他們對彼此的印象，巴巴說：我所知道的，他都看到。阿皮爾・客爾說：我所看到的，他都知道——這是朋友之間最完美的關係。

俞伯牙、鍾子期的友誼是「高山流水」，但並不形上，「知」與「見」，才是根本的。

阿皮爾・客爾的經驗來自「靈魂世界」，他的風格異於其他詩人，別有深度。例：

I

先生，如我飲酒，
如我耗費生命於酒和愛的混淆，
請勿責備；
當我醒時，我和敵人並坐；
我忘懷自己時，是和朋友一起。

II

我說：你的美屬於誰？
他答：因為只有我一個存在，故屬於我；
愛者、被愛者與愛都是一個，就是我，
美、鏡子和眼睛也都是一個，就是我。

III

要去殉道的壯士們，為信仰而戰；
他們難道不知：
更高尚的殉道，
乃是被朋友所殺而非死於敵人之手麼？

非常好的詩！我十四、五歲時讀，不懂，現在明白了。所以少年時讀書多少，並不重要。古人說，少年讀書如窗中窺月，壯年讀書如階前仰月，老年讀書如山頂望月——各位正是讀書的好時節，丹青、全武、立偉，都在勤讀，希望養成習慣。

悲劇精神，是西方文化的重心，悲觀主義，是東方文化的重心；悲劇精神是陽剛的、男性的，悲觀主義是陰柔的、回避現實的；西方酒神是狂歡，所謂酒神精神，東方人歌頌酒，是回避、厭世，離不開生活層面，從未上升到悲劇精神。

請注意，悲觀、懷疑、頹廢，始源是在東方，是中國、印度、波斯的智者、詩人，形成悲觀懷疑的大氣氛。西方的悲劇可不是主義，那是進取的、行動的，如《唐璜》、《曼弗雷德》、《該隱》、《哈姆雷特》、《浮士德》、《唐吉軻德》，十足男性。東方的悲觀主義卻流於消沉、頹廢、陰柔、諱忌、回避。同樣寫飲酒，東方是借酒而忘憂、消愁，西方的酒神卻是創造極樂、狂歡。

所以，東方沒有狂歡節。魏晉和唐代那麼多詩人、文士頌讚酒，沒有一個人正面提出酒神精神。東方人寫飲酒，說來說去還是在生活層次中盤旋。當然，現在看，悲劇精神並不能救西方人。東方呢，悲觀主義早就沒有。現代中國人不懂得悲觀。

說到底，悲觀是一種遠見。鼠目寸光的人，不可能悲觀。

所謂懷疑，悲觀是個開場。然後是什麼呢？西方沒有完成。尼采剛剛開始叫起來：「一切重新估價。」但也才剛剛叫起來。

悲劇，簡單地講，是人與命運的抗爭。

魯迅說：「悲劇，是把有價值的東西毀滅給你看！」說對一部分。

以上波斯詩人都有神秘色彩，還有非神秘色彩的幾位詩人：客特倫（Qutran），講究文體和韻律；阿莎特（Fakhruddin As'ad Gurgani），浪漫，豪爽。

馬克斯說人類有階級和階級鬥爭。我認為人類只有知與無知的鬥爭。一切智慧都是從悲從疑而來。我不知道此外還有何種來源可以產生智慧。

十二世紀後半的大詩人

十二世紀後半，波斯出現四位大詩人。

安瓦里（Ouhadodin Muhammad Anvari），多知識，懂天文，有名言：行乞，是詩人的本質。另一句：詩人不到五十歲，不要寫詩。我從五十歲以後才知道做人的味道。你們現在便宜了，有隻老羊在前面走，我年輕時糊塗啊，沒人可問。

我們欣賞古典作品，要有兩重身分，一是現代人身分，一是古代人身分，如此欣賞，則進進退退，看到後來，一隻眼是現代眼，一隻眼是古代眼。

卡客尼（Khaqani），被稱為「波斯高蹈派」（Persian Parnassus，法國十九世紀詩派），重客觀，重形式，追求雕刻美。戈蒂耶說：我愛酒瓶的形式，我不喝酒。又如：我喜歡黃金、鮮花、大理石，但上帝並不為我而來。

尼達米（Nidhami），專寫傳奇詩，品高，不事王侯，其詩純潔寬厚、羅曼蒂克，天堂、地獄、美人、英雄都寫。許多雅士不過避俗、拒俗，不能抗俗。人說疾惡如仇，我主張疾俗如仇。我寫：通俗，通到我這兒不通。華格納弄得個尷尬局面：他的故事情節是古代的，音樂是現代的，可以騙老實人，但他的朋友去看，他勸他們閉上眼睛。

「黃禍」中，仍出詩人

一二五八年，蒙古入侵波斯，死八十多萬波斯人。珍寶、文物、名城，毀於一旦，幾乎亡國。其時中國是元朝（忽必烈，一二一五—一二九四，在位三十五年，其父在位十三年，祖父成吉思汗，在位三十三年。三代人鬧了近百年），西方人所謂「黃禍」，就是指這個時代。

但蒙古人對知識分子比較客氣，當時波斯大詩人照出不誤。

魯米（Jalu'd-Din-i-Rumi，一二〇七—一二七三），英法都有譯本。其詩有現代精神，有新感覺、新觀點。

薩迪（Sadi，一一八四—一二九二），著《薔薇園》（*Gulistàn*），被認為是波斯文學中最機智最精美的作品，在世界文學史上地位很高。

哈菲茲（Hafez，約一三一五—約一三九〇）。西方說起波斯詩人，多知道他，歌詠少年、春天、夜鶯、美。他活著時就很成功，與成吉思汗見過面，談過話。以後到波斯去，應該去看看哈菲茲的墓，華美之極，上有其詩：

拿酒來，
酒染我的長袍。
我為愛而醉，
人卻稱我智者。

我以為這是寫酒最好的一首詩。

波斯繪畫（美國波士頓美術館藏）。

偉大的詩人，悲劇精神和悲觀主義是混在一起的。陽剛和陰柔是一體的，無所謂東方、西方，就像一個圓球，光亮，陰影，在一起。所有偉大的詩人，都這樣。

這是古代的好，被他們占領了。好吧，要看我們了。

上果樹，看見蘋果。操鐮刀，看見麥田。

知道了古典，現代就拿到了。不通古典，無所謂現代。

經過尼采，是智者。掠過尼采，是蠢貨。

第27講

阿拉伯文學

迦梨陀娑　伊摩魯　安泰拉　阿莎　加勞爾　《天方夜譚》

1990.6.15

世界上最偉大的宗教建築，在阿拉伯。伊斯蘭教藝術不表現人，畫植物。為什麼畫植物？可能因為看到動物，人不太會想到神，看到植物，實在奇異，會想到神。怎麼會如此神奇有致？有人說，植物是上帝的語言，人，可能是造物的異化吧。

詩是全體民眾的心聲，情感、見解的表達，詩是代言。他們說，比劍還快的，是詩，飛越沙漠。詩人，當時帶有神巫的超自然的意義。阿拉伯世界對詩人的優待，比別國好。

紀德說，對他影響最大的兩本書，是《聖經》和《天方夜譚》。

藝術真是最大的魔術。音樂，奇怪，什麼都不像的。一個音符不對了，怎麼不對呢？無法說的。對了，也無法說的。

藝術家，是世界公民、無政府主義者，對各國文學都要關心。印度和阿拉伯的中世紀文學，不怎麼樣的。成就在戲劇。

阿拉伯現在沒落了，從前很偉大的。

世界上最偉大的宗教建築，在阿拉伯（新舊教有區別。西方所謂宗教藝術，指天主教）。伊斯蘭教藝術不表現人，畫植物。今天早晨我在想，為什麼畫植物？可能因為看到動物，人不太會想到神，看到植物，實在奇異，會想到神。怎麼會如此神奇有致？有人說，植物是上帝的語言，人，可能是造物的異化吧。

印度兩大戲曲家

已經定義過：中世紀，指五到十五世紀左右。那時，佛教在印度很薄弱的，不是想像中那麼盛，只在釋迦時興盛過。伊斯蘭教徒進入、蒙古人進入，強權武力之下，以慈悲為懷的佛教實在敵不過，反倒去中國發達去了。

古印度的婆羅門教還強著，因其階級森嚴。

故十世紀左右，伊斯蘭教、婆羅門教，是印度主要教派。

玄奘取經是七世紀的事。此後佛經大大影響中國的哲學思想、文學詞彙、藝術風格。印度戲曲當時也很繁榮，未見專著，不知是否影響過中國的戲曲，很可能的。當時印度有兩大戲曲家：巴瓦希底、迦梨陀娑。

巴瓦希底（Bhavabhuti，八世紀之人）的作品不通俗，不是為公眾和評家寫，只為少數和他同一水準的人寫。了不起！（是啊，世界廣大，時間無窮，何必著急沒有讀者。）如果聽他的劇，事先要熟讀劇本，否則聽不懂。作品：《梅萊底與梅台瓦》（*Malati and Madhava*）。女郎梅萊底養育於尼庵，是待宰的祭品，到期便要捆起來獻給神了。少年梅台瓦到尼庵讀書，不平，出面與教徒鬥，殺了主事者，救活梅萊底，終於成婚。最後由尼姑上場背誦經典。

迦梨陀娑（Kalidasa）有印度莎士比亞之稱，純印度風。劇本《沙恭達羅》

（*Sakuntala*），寫少年國王遊獵，林中遇美女，相愛，成婚。王回國辦事，留指環為信物。美女思念他，忘了向聖人獻禮，聖人怒，詛咒王將不再認美女。美女沐浴時失了指環，然而生下孩子，她去尋夫，夫果然不認。正在這時，漁夫在水中覓得指環，送來，王復記憶，認了妻子。

和中國的共同點，是大團圓。東方沒有悲劇，東方人比較弱。西方人強，鬥爭，犧牲。東方人以和為貴，妥協是上策。

阿拉伯早期的七大詩人

急轉直下，到阿拉伯。中世紀的阿拉伯很偉大。在亞洲西部，三大半島之一，古代稱大食國、天方國。凡是你們在古文中讀到這兩個詞，就是指阿拉伯。東近波斯灣，南面阿拉伯海，西臨紅海，北接敘利亞、伊拉克，是世上最大的半島。苦處，是三面大山，中間一塊沙漠，苦死了，氣候炎熱。產駱駝。

當時生活在阿拉伯地區的民族叫做閃族，也稱塞姆族、閃米特族（Semites），是高加索人的一個分支。頭型長，身材高，膚褐色，事農牧業。多為小部落，穆罕默德統一後，定首都於麥加。歷代主教是傳播伊斯蘭教，到處擴充，版圖很大，成立阿拉伯伊斯蘭教國家。直到十一世紀才可分成許多小邦，歸土耳其人統治。

穆罕默德是英雄，又是主教。南行擴張到西班牙，故今西班牙伊斯蘭教仍盛。穆罕默德朝強盛了幾個世紀，直到成吉思汗出現，這才沒落。但伊斯蘭教一直留了下來。

思考題：政權只一時，宗教勢力長久。

阿拉伯文學在伊斯蘭教還沒有興起時，是個繁盛期，長達一百二十年左右。中世紀的東方，文星高照。

唐朝、波斯、阿拉伯，淨出詩人。個人有運，國有國運，地球有球運。中世紀的東方真是交了文曲星。那時哪家出了個詩人，別的鄰族都來道賀，宴會長達幾天。

詩是全體民眾的心聲，情感、見解的表達，詩是代言。他們說，比劍還快的，是詩，飛越沙漠。詩人，當時帶有神巫的超自然的意義。阿拉伯世界對詩人的優待，比別國好。

阿拉伯詩，分為泉歌、戰歌、禱歌、情歌、輓歌、諷歌。

為什麼有泉歌？沙漠太乾了，泉水可貴。

七大詩人：伊摩魯、泰拉法、阿摩爾、赫里士、安泰拉、薩赫爾、拉比特。

伊摩魯（Imru’u’ I-Qayo），有許多浪漫傳說。少頑，被父親逐出家，四處流浪。後來父親被殺，他得知消息，叫道：「你毀了我的青春，又把復仇重任壓在我身上。今天喝酒，明天辦事！」大醉七天七夜，起誓：不飲、不肉、不色、不洗髮，直到報仇。然後去抽籤，籤曰：不報仇。伊摩魯對著神怒斥：「你父親被殺，你不報仇嗎?!」

但最終沒有報仇——這是抗爭和命運的矛盾。

為什麼後來沒有報仇？他自己被殺了。他在宮中與公主通姦，於是被派往巴勒斯坦做官，行前被賜錦袍，袍有毒，上身即死。他是伊斯蘭教創始前最偉大的阿拉伯詩人。穆罕默德稱他是「到地獄之門的人的領袖」。

據說他的長詩辭藻華麗。

泰拉法（Tarafa，六世紀之人）是別一種性格。機智、調皮、傲慢，諷刺的天才。自小就寫諷詩，敵友皆諷。家人不喜歡他，逐出，後來才允許他回家。得到富人贊助，後來與君主相伴，得寵，受嫉妒。宮中出現諷帝詩，人誣告是他所寫。帝怒，使其送信，他不知信的內容是死信，命收信者殺死他。死年不足二十歲。

阿摩爾（Amr ibn Kulthum，？—五八四）又是一種風格。人格高尚，勇氣可驚，他母親也是女中強者。詩名隆盛後，得國王召見，恩准母子赴宮廷宴飲。太后看不起，命母取盒，母說：「誰要東西自己拿。」太后故意不聽，繼續說：「我要盒，拿來！」母親高喊：「受侮辱啦！救命啊！」阿摩爾取刀趨前，殺皇帝與太后——後來如何，查不到，不詳。

赫里士（Harith b.Hilliza），資料不詳。

安泰拉（Antarah ibn Shaddad），善武，以力著稱。母為黑奴，故子亦為奴，得父親承認，才算自由人。某日與父出，駱駝遭劫，父與強盜戰，安泰拉若無其事。父怒斥，兒子說：「一個奴隸只知餵駱駝和上鞍轡，打仗是不懂的。」其父立即叫道：「你自由了。」安泰拉拔刀而起，大發威風。強盜死的死，逃的逃。安泰拉喜歡寫戰爭，他的長詩可定名為戰爭的風景畫卷。

薩赫爾（Zuhayr ibn Abi Sulma，五二〇—六〇九），歌詠戰後的和平。其用功，比我厲害：四個月，一詩寫成，此後，修改四個月，與朋友討論四個月，一年成一詩——我寫詩，頂多改四天。創作過程太長，藝術要死的。莫札特、蕭邦，都不肯過分雕琢。《浮士德》，寫太久了，不成功。

拉比特（Labid ibn Rabia，五六〇—六六一），愛寫沙漠。阿拉伯詩人中，他的詩最富於詩味。改信伊斯蘭教後罷詩，說：「《可蘭經》已換取了我的詩句。」

自由、宗教，不相合的。自由是懷疑的、獨立的，宗教是盲從的、專制的。

蒙田、巴斯卡，個人是懷疑的、自由的，但活在宗教的環境中，活得很苦。

藝術家的精神是酒神的，行為是舞蹈的。軟骨病不能跳舞。藝術的宿命，是叛逆的，懷疑的，異教的，異端的，不現實的，無為的，個人的，不合群的。宗教的宿命是專制的，順從的，犧牲個人的，積極的，目的論的，群策群力的，信仰的——其實就是政治。

一個藝術家篤信宗教後，是寫不出東西的（請看艾略特）。

那好，文藝復興如何解釋？不是藝術和宗教一體嗎？

達文西和米開朗基羅，骨子裡是異教的，內心是希臘的，有自覺和不自覺的兩面。文藝復興是希臘精神被中世紀扼殺後再生的意思。

文藝復興是一筆糊塗帳。宗教把藝術全算到上帝帳上，藝術家把功勞歸自己。我以為贏家是藝術家，上帝也沒輸，輸的是銀行。

到歐洲去，不要做旅遊者，要做世界文化的觀察家和仲裁者。思想的力量，就是仲裁權。

耶穌的權是上帝給的。穆罕默德的權是真主給的。統治者的權，宣稱是天下給的。馬列的權，說是人民給的。藝術家的權，是思想給的。

笛卡兒說：「我思故我在。」「在」！

思想是判斷，判，是客觀的，斷，是主觀的。藝術家，在最高的意義上，是要「斷」的。《卡拉馬助夫兄弟》，想斷，沒斷好。有沒有藝術家「判」也成功，「斷」也成功？

《第九號交響曲》。第一、第二樂章，是判的進行；第三樂章，是預示要斷；第四樂章，大斷。

人類歷史，只有這麼一次大判大斷。

貝多芬偉大。藝術要能既判又斷，大判大斷，無人能與貝多芬比肩。

他是第一個宣稱、標榜「藝術家」的人。他迎面朝皇家直走過去。皇家讓他。

好了，回到沙漠。阿拉伯文學，我們這裡翻譯有限，以上七位之外，還有詩人……。

我是有意給大家一個印象：唐宋兩課，中國詩人、詞家之多，眼花撩亂，接著說起波斯，大家以為怎能與唐宋比，但上次一講波斯，又是眼花撩亂。今天講阿拉伯，諸位心裡恐怕又在想，沙漠國家有什麼文化呢？時過境遷，其實我們看看唐人街，哪有大唐氣象。

再介紹幾位阿拉伯大詩人：那比加、阿莎、阿爾卡馬、康莎、艾赫泰勒、法拉茲達格、加勞爾。

那比加（Nabigha，五三五—六〇四），生於伊斯蘭教創始前，得國王寵，應命成詩，讚美王后。詩寫得太好了，國王吃醋（上當啦。這是精緻的心理學課題，美暗示愛，頌讚美暗示占有，別人的妻子、丈夫、情人，諸位要是大加讚賞，可要小心呢）。

人比動物弱。人要信仰。信仰是種怪癖。人腳站起來之後，思想也要站起來。

阿莎（A'sha），職業行吟詩人。走遍阿拉伯，恭維施者，等於乞丐。諷刺詩極有名，人不敢拒絕他的需求，否則就被諷刺。他在阿拉伯詩史上是很前衛的詩人，善寫酒和宴會。

阿爾卡馬（Alqama b.Abada），生平不可考，他最有名的詩是寄給獲勝的敵方，懇求釋放他的同族。

康莎（Khansa，約五七五—約六四五），女詩人，善寫輓歌，名篇是悲悼她兩位戰死沙場的兄弟，據說極動人。

倭馬亞王朝的詩人

此後的詩人，大抵生於伊斯蘭教興起後——伊斯蘭教初勝時期，政權忙於平定、擴張，文學撂在一邊。歷史上，宗教、政治、軍事莫不如此，哪裡有文學、藝術為政治服務的說法？

希伯來思潮：理性、禁欲、苦行、理想……。

希臘思潮：感性、自由、行動、現世……。

世界史不成文的規律，就是這兩種思潮的消長起伏。糟糕的是：中國例外。目前超穩定結構，再過五十年，會更糟。

到了倭馬亞王朝（Umayyad Caliphate，約六六一—七五〇），古代異教精神復活，出烏麥爾（Umar ibn Abi Rabi'ah，六四四—七一二／七一九）。富家子，專寫情歌，歌頌塵世的肉欲。以伊斯蘭教徒看，是有罪的，但他成為詩人的領袖，可見當時異教思想之普遍。

艾赫泰勒（Akhtal，六四〇—約七〇八），基督徒，別的教欲收買，不遂。

法拉茲達格（al-Farazdaq，約六四一—約七三三），一生多戀愛，對象總說是表妹。表妹嫁法拉茲達格，後悔，離異，懺悔，回來了，又後悔——王爾德說，由於誤解，結婚了，由於理解，離開了。

加勞爾（Jarir ibn Atiyah，六五〇—七二八），據說最差的詩也比別人寫得好。有一位詩人巴喜夏（Bashar ibn Burd）故意寫詩諷刺他，不獲理睬，巴喜夏歎道：「唉，如果他能諷刺我，我就成了世界上著名的詩人了。」

法拉茲達格和加勞爾都是自由派，標榜除了情場，不打別的仗。

文學黃金期的代言詩人

自公元七五〇年阿拔斯王朝（Abbasid Caliphate）立基，到一二五八年蒙古入侵，整整五百年，出了許多大詩人、大學者、歷史學家、哲學家，這就是阿拉伯文學的黃金時代。

凡一國正式或非正式的文藝復興，都是浪漫的、人文的、重現實的、異端的。中國的文藝復興，一是春秋戰國，一是唐代，另一或可說是五四運動。

阿拉伯文學黃金期五百年左右，全是宮廷詩人（帶有文學弄臣的色彩）。代表詩人有：莫底、阿布．努瓦斯、阿皮阿泰希耶、穆太奈比、麥阿里。

莫底（Muti b.Iyás）的作品神秀清逸。

阿布．努瓦斯（Abu Nuwas，七五六—八一四），貧寒，非純阿拉伯血統，浪遊沙漠，恃才傲物，大膽到與京都宮廷詩人群賽詩，大獲全勝。到處得罪人，幾次下獄。晚年懺悔，詩云：

嗅，一杯。斟滿它，
告訴我，它是酒，
若我能在光明裡喝，
我絕不在暗處。
我醒時窮，
醉時就是富翁。
……
如果快樂，就把面紗去掉，
面紗有什麼用？

他鼓吹享樂，叫別人不要害怕享樂過度。我記得他有一句話，詭辯，而且異端得厲害，大意是：

「盡情享樂吧，上帝的慈悲比人所能造的罪惡大得多。」（海涅說：上帝在天國裡等我，我到了，他拿出糖果給我吃。）

阿皮．阿泰希耶（Abu'l-Àtahiya），內向。作詩獻於帝，得重酬，定年俸。愛上了女奴，女奴不愛他，阿皮．阿泰希耶去修道，詩風變，成冥想詩，憑經驗反省抒情。寫死亡，不寫復活永生（很像西方音樂家，借宗教抒自己的情。歐洲二千年藝術的精華，都是表面基督教，核心異端。中國孔孟之道，傑出的藝術家也是孔教的異端。阿拉伯也不例外），寫死後幻想、快樂、空虛、無助，寫得純真樸素。他有定義：「我的詩誰看？是那些愛他們所懂得的東西的人。」他的文字平淡：

人坐在那兒，
好像狂飲者拿起杯子，
世界給他的是一杯死的酒。
人們見先知就走開。
……

船在陸地上是不動的。
也許信仰是一切悲哀的妙藥，
也許懷疑揚起一點點灰塵。

穆太奈比（al-Mutanabbi，即Abu'l-Tayyib Ahmad b.Husayn，九一五—九六五），自命先知，信徒眾多，事情鬧大了，入獄，釋放後四處流蕩。後得國王寵愛，入宮後又與王不諧，逃往埃及，仍不適，流浪到巴比倫，為強盜所殺。我沒讀過他的好詩，但讀過以下三段。詩曰：

在夜裡，她鬆下三鬈黑髮，
立刻造成四個黑夜，
當她抬頭看天，
就有了兩個月亮。

另有一詩：

我不過是一箭飛過空中，
落在地上找不到藏身之處。

又一詩：

那些久與世界熟悉的人，
一回首，
只覺外表美觀，
餘皆虛空，
聖人總是愚蠢，
只有愚者最快樂。

麥阿里（Abu'l-Àláal-Maʿarri，九七三—一〇五七），生在敘利亞，盲人。淡泊自守，多產，名重於京都。母病，回家，在靜修中度餘生，冥想沉思。

我們笑，我們有什麼要笑的呢
我們哭，只能哀哀地哭，
我們像碎了的玻璃。
從此不再鑄造。

墓誌銘：「這個錯誤，父親已經給我做了，我不再做。」

凡是純真的悲哀者，我都尊敬。人從悲哀中落落大方走出來，就是藝術家。麥阿里並不是真的苦命。真的悲哀者，不是因為自己窮苦。哈姆雷特、釋迦、叔本華，都不為自己悲哀。他們生活幸福。悲觀，是一種遠見。

阿拉伯沒有偉大的史詩，比不上希臘和波斯。但阿拉伯有自己的詩體韻文。紀德說，對他影響最大的兩本書，是《聖經》和《天方夜譚》。

《天方夜譚》是許多人、許多作品整合起來的。《一千零一夜》（《天方夜譚》的別稱），大靈感找得好！英譯本共十七冊，伯頓（Richard Burton）翻譯。你們沒有讀過《可蘭經》，卻多少聽到過〈阿里巴巴與四十大盜〉、〈月宮寶盒〉、〈阿拉丁與神燈〉、〈漁夫與魔鬼〉、〈會飛的鳥〉，證明藝術比宗教更有生命。我在小學三年級時就參加演《芝麻門開》。《天方夜譚》在世界上不知有多少譯本。

總之，阿拉伯是曾經光榮。前幾年我在報上看到一則新聞，說阿拉伯某地掃黃，取締色情書刊，竟把《一千零一夜》列入其中——可憐的，自己挖掉自己的眼睛：「一」和「零」代表男和女，挖去後，只剩八個數字了。

第28講

中國古代戲曲（一）

董解元《竇娥冤》《西廂記》《漢宮秋》《梧桐雨》《琵琶記》

1990.6.29

中國人有個情結，姑稱之為「團圓情結」，不團圓，不肯散，死乞白賴要團圓，不然觀眾要把作者罵死。希臘人看完悲劇，心情沉重，得到了淨化。中國人看完了大團圓，嘻嘻哈哈吃夜宵，片刻忘其所以。

人性，近看是看不清的，遠看才能看清。人間百態，莎士比亞退得很開。退得最遠最開的，是上帝。莎士比亞，是僅次於上帝的人。

現在再看畢卡索、馬蒂斯，過時啦！看希臘，不過時。為什麼？很簡單。服裝要過時的，裸體不過時——兩個乳房，過時？

中國遲來的戲劇

中國文學，有傳接的脈絡，見諸詩詞、曲賦等。唯戲曲不傳。今天的中國戲曲不是元曲的傳接。京劇，是清朝忽然「暴發的」，是「野蠻的」。昆曲可說接續一點傳統，但屬於南曲的旁支，當時勢力很弱。南北的曲藝，都不是中國古戲曲，唯民間還有一點點殘存。

是故今天講中國戲劇，是開追悼會。

中國戲劇開始得很遲，距希臘戲劇盛世，遲了一千八百多年（當時希臘有大劇場，是國民教育項目）。遼金侵入中原，是十二、三世紀的事。只能這樣看：各民族文化發展，是不一樣的。進化論，或唯物論，無法解釋的。

春秋戰國時，戲劇已有記載。演戲人叫優伶，其實是文藝弄臣，娛樂帝王，出怪言怪語，遙想起來，稍似話劇。優伶以巧妙的辦法，以俏皮話，向皇帝進諫而不招禍。優伶本人不知道自己是藝術家。這萌芽，沒有發展壯大。

為什麼？歷來文士是以詩賦筆論為得官的手段。讀書人要做官，必要善於上述幾種。戲劇，等於自絕於仕途，沒人要。到了元朝，科舉滯行很久，文士無所顯露才情，正值民間演戲的風氣倒盛行起來。許多文學家就嘗試作劇。也有人說元朝曾以劇取士，我查不到史據，不敢輕信。

這很有趣，說明古人生命力還很旺。這就是中國戲劇興起的原因。

古劇本都沒有標點符號（古本《紅樓夢》也如此），無常識，根本看不懂。古人頭腦清楚，絕不亂。

常識有哪些呢：

科——作狀、動作（或曰「介」）。

白——說話。

曲——唱。

在劇本中，以曲為主。科、白很簡單，甚至沒有，讓演員自主。莎士比亞劇中也不太用「科」。

宋朝伶人唱的曲，其實是詞。金人占據中國北部，詞作者可能覺得格律不夠表現強烈複雜的思緒，也太嫌斯文，不夠口語化，便另創新形式。這就是所謂北曲的起源。

十四世紀初，即元末明初，南方人也興曲，與北曲並論，稱南曲。此前南人也寫曲，但歸於北曲，北曲勢力大，故稱南人寫北曲。南曲的獨立發展是要到十六世紀，漸漸地，南曲奪取了北曲的地位，這中間經過二百年左右。

因為我們現在講中世紀文學，今天講曲，時段在十五世紀左右。

中國的第一位大戲劇家是董解元。他比莎士比亞還不幸。莎翁還有全名威廉，董解元，後世只知他姓董，「解元」，是說鄉試考了第一。生於十二世紀後期，唯一一本《西廂記諸宮調》問世，是中國第一個劇本。其實呢，是供一個人自彈自唱的，題材是根據唐朝故事〈會真記〉，加了不少內容，文學價值很高，後人稱《董西廂》。

莫道男兒心如鐵，更不見滿川江葉，盡是離人眼中血。

真正有才能的人，不管題材是否別人的，拿來就寫，寫自己的東西進去。古時候的雜劇，有「折」，即「幕」。每戲必有四折，如交響樂。整部戲，即成「齣」（出，南方如是說）。又是要加個「楔子」，即序言、序曲，中間也可加序，不一定在開場。

正末：男主角，才子。

正旦：女主角，佳人。

劇中配角只能白，不能唱，只有才子佳人能唱。唱時，不重唱、不合唱，佳人唱時，才子默——中國沒有「和聲」，也就沒有二重唱——還有，一個演員在同一劇中，前後扮好幾種角色，第一折飾書生，第二折就飾了神道了。

從前藝術家要嘛不創造形式，一旦創造，都嚴守格律。貝多芬之前的交響樂，從不破格，乖乖的。西方、中國，都如此，在格式裡拼命翻筋斗，不想到跑出來。

較複雜的故事，四折實在概括不了。北曲行了很久之後，南人才把北方的成例突破（北人方腦子，南人圓腦子），無論哪個角色都可以唱：獨唱、齊唱，主次角可輪番唱，有變化，主角也可休息。幕或折，都增加了，不再限於四折，多至十幾折、十幾齣（出）。

南曲開場總有宣敘全劇大意的引子，由副末（男配角）擔任。引子名稱繁多：家門始終、家門大意、家門、開宗、副末開場、先聲、楔子等等。

北曲不同，先只講一個部分。

元曲第一期除了關漢卿、王實甫、馬致遠等大師，共約五十六位，多出生在北方，南方竟沒有一人。發祥地在大都，即今之北京。

第二期約三十人，南人已占十七，尤以杭州為多，北人僅六、七位，且與南方有關，或長期住在南方。

第三期約二十五人，北方僅一人，餘皆南人——中國文化向來多如此，從北往南流。

南曲的中心是在溫州、永嘉一帶。

整體看，第一期最為元氣旺盛，每個作家可寫三十到五十個劇本。後兩期，弱得多了。

也是通例。藝術家開宗的總是力強，成熟後就軟。

總之，有一百多家，最傑出者六人：關漢卿、馬致遠、白樸、王實甫、鄭光祖、喬吉甫。

關漢卿、《竇娥冤》

關漢卿（約一二二〇—一三三〇年），大都人，一生寫了六十三個劇本。多失傳，剩十多本傳世：《玉鏡臺》、《謝天香》、《金線池》、《竇娥冤》、《魯齋郎》、《救風塵》、《蝴蝶夢》、《望江亭》、《西蜀夢》、《拜月亭》、《單刀會》、《調風月》、《續西廂》。

其中，以《竇娥冤》、《續西廂》最著名。

《竇娥冤》可謂中國唯一的悲劇，至今仍是保留劇目，連楔子共五折。楔子敘楚州蔡婆家道頗豐，夫亡，有一子。竇秀才向蔡婆借銀數十兩，到期不能償還，將女兒端雲給她作媳，改名竇娥。蔡婆贈資，秀才上京應舉。

第一折，便轉入波瀾。賽盧醫借了蔡婆的錢不能還，將她誘至郊野要絞殺，恰值張驢兒與父撞見，賽盧醫逃離。張驢兒以救命恩人之身分，欲使其父娶蔡婆而自娶竇娥。娥夫已死，而娥守節不渝。

第二折，張驢兒遇賽盧醫，迫使其給毒藥，欲害蔡婆而可強占竇娥。其父誤食而死，張驢兒誣指竇娥下毒殺其父，告官定了死罪。

第三折，高潮。竇娥臨刑高喊冤枉，誓言斬首後她的頸血將飛濺丈二白練。時為大暑六月，上法場時，竟大雪紛飛。她說她死後，這個地方將大旱三年，顆粒無收。果然都應驗了。

第四折，竇娥父親中舉後做了廉訪使，到楚州調閱案卷，竇娥托夢訴冤。便捉了張驢兒、賽盧醫，各定罪名。

還不是全悲劇，最末還是團圓，不過是負面性的團圓——要是改寫，就要寫告官、告民，均不通，這才真實、深刻：竇娥求官不應，民眾也都說她有罪，她的冤擴大到個人與群體的對立，而官方民方竟都相信惡人張驢兒，激起她的大恨，發大詛咒，誓與暴吏暴民鬥到底——這是個人與民間、民間與官方的雙重對立。最後六月大雪，血濺白練，一片寂靜，尾聲是楚州災景。

王實甫、《西廂記》

關漢卿《續西廂》，續的是王實甫《西廂記》。王氏《西廂》寫到鶯鶯和張生分別，兩人在草橋驚夢為止。關氏續為「張君瑞慶團圞」。董解元《西廂》原也是團圓的，但王實甫就高明了，不肯照搬。

關漢卿太老實，鄉巴佬，去做這件傻事，被金聖歎（中國獨一的大批評家）大罵山門，指斥狗尾續貂。

我也認為《續西廂》在文字上不乏佳作，但關漢卿怎會不理解王實甫的高明？中國人有個情結，姑稱之為「團圓情結」，不團圓，不肯散，死乞白賴要團圓，不然觀眾要把作者罵死。希臘人看完悲劇，心情沉重，得到了淨化。中國人看完了大團圓，嘻嘻哈哈吃夜宵，片刻忘其所以。

可憐的中國人！到現在只好逃亡，反不得團圓。

我少年時一讀王實甫《西廂記》，就著迷。當然，《西廂記》原作是唐人傳奇〈會真記〉，境界更高，是元稹自傳性的短篇小說，頂瓜瓜古典寫法。而王實甫又有浪漫主義又有現實主義的表現力，他憑一本《西廂記》，即可永垂不朽。

王實甫《西廂記》有四本，十六幕。四本連臺好戲，上演起來很耐看。

古代愛情很好玩，都是一見鍾情，我看簡直是不見也鍾情。關漢卿不及王實甫寫得妙。如張生見鶯鶯後，王寫：

我和她乍相逢，記不真嬌模樣，我則索手抵著牙兒慢慢的想。

又如：

想人生最苦離別，可憐見千里關山，獨自跋涉，似這般割肚牽腸，倒不如義斷恩絕。

其實就是講氣話。另外有初次做愛的細節描寫，大膽而精緻，仍然守得住詩意，課堂不好講，你們自己去看吧。比X級影帶不知精彩多少倍。

馬致遠、《漢宮秋》

馬致遠（約一二五〇—約一三二一），善寫神話傳說，筆致瀟灑。代表作《漢宮秋》，寫王昭君故事，漢元帝成了主角，昭君是配角。其中寫毛延壽潛逃匈奴，遊說單于指名要王嬙做妻。漢廷官吏怕動刀兵，力勸元帝捨王嬙送匈奴和親。元帝卒許之。番邦的使者護著昭君漸漸遠了，元帝唱：

呀，俺向著這迴野悲涼，草已添黃，兔早迎霜，犬褪得毛蒼，人搠起纓槍，馬負著行裝，車運著餱糧，打獵起圍場。他、他、他，傷心辭漢主，我、我、我，攜手上河梁。他部從入窮荒，我鑾輿返咸陽。返咸陽，過宮牆；過宮牆，繞回廊；繞回廊，近椒房；近椒房，月昏黃；月昏黃，夜生涼；夜生涼，泣寒螿；泣寒螿，綠紗窗；綠紗窗，不思量。

關凝重，王委婉，馬瀟灑。

白樸、《梧桐雨》

白樸（白仁甫，名樸，一二二六—一三〇六），後於關漢卿、王實甫，作劇十五種，今存兩種：《梧桐雨》、《牆頭馬上》。《牆頭馬上》寫裴少俊與李千金之戀，有趣的喜劇。《梧桐雨》寫唐明皇、楊貴妃故事，不妨看一段古本：

（正末扮明皇，做睡科，唱）【倘秀才】悶打頦，和衣臥倒，軟兀剌方才睡著。

（旦上云）妾身貴妃是也，今日殿中設宴，宮娥，請主上赴席咱。

……

（正末唱）妃子，你在那裡來？

（旦云）今日長生殿排宴，請主上赴席。

（正末云）吩咐梨園子弟齊備著。

（旦下）

（正末做驚醒科，云）呀，元來是一夢，分明夢見妃子，卻又不見了。

鄭光祖，傳於今的劇本有四：《王粲登樓》、《倩女離魂》、《傷梅香騙翰林風月》、《輔成王周公攝政》。以《倩》劇最為人稱道：倩女與王文舉戀，王赴京應舉，倩女的魂兒離軀體而同去。

喬吉甫（一二八〇—一三四五），作劇本十一種，流傳三種：《金錢記》、《揚州夢》、《玉蕭女》（全名《玉簫女兩世姻緣》）都是敘唐詩人的戀愛史。

高明、《琵琶記》

元滅，朱元璋征定中原，攻陷北京，明朝起。元曲的雜劇漸衰，繼之是長篇劇本，先稱「南戲」，後稱傳奇。最盛行的叫「荊、劉、拜、殺」，即《荊釵記》、《劉知遠》（即《白兔記》）、《拜月亭》、《殺狗記》，還有就是《琵琶記》，作者是高明（一三〇五？—一三五九）。

《白兔記》很通俗，作者不詳，是民間優伶編排的。我們想像到從前的人認真演，認真聽、看，同情李三娘，罵其兄嫂，覺得很有人情味。《殺狗記》上次已講過，《荊釵記》是無巧不成書的公式，《拜月亭》也是才子佳人的悲歡離合，值得一講的是《琵琶記》。

《琵》劇題材據一民間傳說，將一個大人物附上，聳人聽聞。有人認為高明是諷刺其友王四（「琵琶」二字拆開了，頭上就是「王四」），似乎有道理。但正統說法是取宋時流行的蔡中郎故事寫此傑作，有一首宋詩：

陸游〈小舟遊近村捨舟步歸〉

斜陽古柳趙家莊，負鼓盲翁正作場。
死後是非誰管得，滿村聽說蔡中郎。

詩好，我所以記得。故事是說：蔡邕與趙五娘結婚才兩月，父命其進京應舉，不得已離別愛妻。到京後，以高才碩學中了狀元，牛太師招贅，蔡邕不從。牛太師請天子主婚，蔡邕只好做了牛家女婿。此時蔡家已窮得見底，牛太師又不准女婿回，趙五娘一人侍奉兩老，老人吃粥，她嚥糠秕（民間皆知五娘吃糠），公婆死，她剪髮賣了事葬（剪髮賣髮更為人道），然後背著公婆的畫像，抱了琵琶，一路求乞上京。至牛府，始知丈夫並非貪圖名利，而是受了逼迫。蔡邕知父母雙亡，與五娘抱頭大哭，同回故里祭墓。此後五娘與牛小姐相安，全劇告終。

這種中國式的劇情，要中國式地理解它。趙五娘日後廣受中國民間愛戴——

五娘和我結婚，倒是差不多。

其實呢，不合情理：蔡邕可以暗中接濟老家，也可寫信向五娘解說。牛小姐既是好人，蔡邕可爭取她的同情，先把老家安排好。反正中國古代的悲劇都是因為笨，因為沒有電話，沒有銀行匯款。

單以文學評價，此劇高明。趙五娘吃糠時唱：

> 糠和米本是相倚依，被簸揚作兩處飛。一賤與一貴，好似奴家與夫婿，終無相見期。丈夫，你便是米呵，米在他方沒尋處。奴家恰便是糠呵，怎的把糠來救得人饑餒，好似兒夫出去，怎的教奴，供膳得公婆甘旨？

這是有莎士比亞水準的。傳說中，作者高明在沈氏樓中深夜寫到這裡，兩枝蠟燭的火光突然相交，成為奇觀，後來此樓名瑞光樓，真是千古美談（湯顯祖的《牡丹亭》也有過奇蹟顯現）。我是寫到後來只有蟑螂爬上書桌。希望以後寫出好東西，收到電話：「木先生，我們感到你在寫好東西。」這就比雙燭交輝更有意思。

總之，北曲、南曲、雜劇、傳奇，一路下來。朱元璋是個喜歡聽劇的粗人。他的孫子朱有燉，就是劇作家。到了十五世紀以後，又出許多劇作家：沈受先、姚茂良、蘇復之、王雨舟、邱濬、沈采等等，就不一一介紹了。

中國何以不出世界性劇作

中國戲劇以後還要講。一個問題，中國戲劇是官方也提倡，民間也熱中，為什麼沒有出世界性的大作品？

中國戲曲雖然起步遲於希臘，卻早於英國。英國十六世紀先出劇作家馬羅（Christopher Marlowe，一五六四—一五九三），是莎士比亞的前輩，影響了莎氏和歌德（莎氏之時是十六至十七世紀）。中國第一期劇作家數量遠遠超過希臘和英國，而六大家的才華和劇本產量都很高，沒有一個達到莎氏的高度。原因在哪裡？

很簡單，就是沒有莎士比亞這份天才。但這話一句悶死，還得談談客觀原因、社會背景、歷史條件：

中國劇作家的創作觀念是倫理的，寓教於戲，起感化教育作用，在古代有益於名教、風化、民情。有了這種觀念，容易寫成紅臉白臉、好人壞人，不在人性上深挖深究。兒女情長，長到結婚為止；英雄氣短，短到大團圓，不再犧牲了。作家沒有多大的宇宙觀、世界觀，不過是忠孝仁義，在人倫關係上轉圈圈。這些，都是和莎士比亞精神背道而馳的。

莎士比亞的作品，無為。劇中也有好人壞人，但他關心怎麼個好法，怎麼個壞法，所以他偉大。人性，近看是看不清的，遠看才能看清。人間百態，莎士比亞退得很開。退得最遠最開的，是上帝。莎士比亞，是僅次於上帝的人。

莎士比亞為什麼退得開、退得遠？因為他有他的宇宙觀、世界觀、人生觀。所有偉大人物，都有一個不為人道的哲理的底盤。藝術品是他公開的一部分，另有更大的部分，他不公開。不公開的部分與公開的部分，比例愈大，作品的深度愈大。

我愛藝術，愛藝術家，是因為藝術見一、二，而藝術家是見七、八。但藝術家這份七、八，死後就消失了。你能和活著的大藝術家同代而交往，是大幸。

莎士比亞的宇宙觀，橫盤在他的作品中，如老子的宇宙觀，滲透在他說的每一句話中。但不肯直說、說白。

中國中世紀劇作家，沒有宇宙觀、世界觀、人生觀，只有倫理——藝術家的永久過程，是對人性深度呈現的過程。莎士比亞的作品中好像在說：你們要知道啊，還有許多東西，作品裡放不進去呀！

作品裡放不下，但又讓人看出還有許多東西，這就是藝術家的深度。

蒙田不事體系，深得我心。我激賞尼采的話：體系性是不誠懇的表現。但你們不能這麼說。我這樣說，我內裡有體系，不必架構：這是第一層。如果你們來說，先已不誠懇，成體系，豈非更不誠實？第二層次、第三層次，不說。

我是庖丁解牛，不是吹牛。

莎士比亞能退遠是非善惡，故能惡中有善，善中有惡。他到晚年，靠《哈姆雷特》露了一點點自己。

其實，還有作者主觀上的問題。中國吃了地利上的大虧——天時，全世界差不多。地利，中國吃虧太大，中國與西方完全隔離。蘇俄國土有一端在歐洲。

人和，則儒家這一套弄得中國人面和人不和。

可是，中國又是全世界獨一無二開口就叫「天下」的國家。什麼「天下興亡，匹夫有責」呀，常常是從海南島到長白山，從臺灣到西藏。

所以，中國人的視野的廣度，很有限。

莎士比亞寫遍歐洲各國，中國人寫不到外國去。莎士比亞心中的人性，是世界性的，中國戲劇家就知道中國人？中國人地方性的局限，在古代是不幸，至今，中國人沒有寫透外國的。魯迅幾乎不寫日本，巴金吃著法國麵包來寫中國。當代中國人是中國鄉巴佬。中國人愛說「守身如玉」，其實是「守身如土」。古代呢，就是三從四德。

莎士比亞，放之四海而皆準。中國元曲，放之四海而不準。

再其次，中國戲劇的唱詞、念白，互不協調。唱有詩意，念則俗意。莎士比亞的唱詞、念白，通體是詩。羅密歐、茱麗葉在陽臺上的對話，是世界上最美的情詩，全世界聽得懂。

元曲，唱（虛）念（實），太虛太實之間，不夠相稱，在藝術原理上是不太通的。京劇中不文不白的唱詞，也有問題——現代電影已是話劇範疇，可是中國電影還有一個主題歌——所以，中國傳統戲劇要發展，欠缺前途。

對人生，藝術家的理解很局限。

一句老話，中國沒有出天才。龔自珍有句：「我勸天公重抖擻，不拘一格降人才。」中國長久以來不降天才，降歪才。歪才一多，人才、正才，被歪才包圍。

總之，一，劇作家缺乏高度；二，地利上自我隔絕；三，文白不協和。

藝術家的制高點

再講講藝術家的深度。為什麼要有深度？

藝術家純粹是人間的，不是天堂地獄的。天堂地獄，沒有深度。只有在天堂地獄之間，人間這一段看深度。誰把這深度處理好了，能上天堂，處理不好，下地獄。

抱著希望進天堂的藝術家，是二流的（被奉為一流）。一流藝術家知道沒有天堂地獄，知道並無其事，當做煞有介事，取其兩點成一線，這一線，就是他的作品的深度。這種人，我稱之為在絕望中求永生。

要劃分，世上大藝術家都是在絕望中求永生。貝多芬就是。

許多人都有神的觀念，有神，就有希望。無神，絕望，怎麼辦呢，求永生。人到底是進化還是退化？達爾文是錯的。如果進化，希臘、巴比倫、埃及，不會亡。法國人家家看書，現在呢，看電視。

共產主義給了一個信仰，一個希望，一個天堂。西方很多大知識分子吸進去。

要拯救世界，先要高唱人文的整體性。

人類前大半部分的歷史，是有神論，後來的歷史，是有真理論。我以為有真理，就是有神論。到了說沒有真理，人，真正站起來了。

科學弄到現在，有高倍望遠鏡觀察宇宙，或是人類智能最高的時候，天才卻不降生，思想家也不降生。

政治家，從來難有人談到宇宙。他們沒有宇宙觀。現在，上沒有宇宙觀，下不通人性。要改，就是承認人性，很起碼的東西，很起碼的進步。

希望大家——規模大一點、小一點，速度快一點、慢一點，都無妨——超越自己。三年前的你，是你現在的學生，你可以教訓那個從前的自己。

停課兩個月，小別兩個月，臨別贈言——超越自己。

不是派、黨、集團，一群人在一起，我比作一個星座。天上星座本來互相無關，是天文學家連起線來——留下的是還能閃爍的星，實在太少，許多星跌下去了，當初都很優秀的。

現在也是一個星座，看誰做恆星，誰做隕星。互相不要碰。

說來說去，給大家一個制高點。有了這個制高點，看起來就很清楚。一覽眾山小，不斷不斷地一覽眾山小。

找好書看，就是找個制高點。

現在再看畢卡索、馬蒂斯，過時啦！看希臘，不過時。為什麼？很簡單。服裝要過時的，裸體不過時——兩個乳房，過時？

論原理，藝術最好是像裸體。鹽巴，總是鹹的。藝術，最好的是人的——人性，人的本性。這世界，妖氣魔氣已經很重——過去是神氣仙氣——很多現代藝術是妖氣魔氣，後來變成鬼怪氣。

回到莫札特，不是真的回到莫札特，是朝那個方向去。

如果真的有救，如所謂「第三波」說法——先是農業社會（第一波），後是工業社會（第二波），第三波是回到高的農業社會，人和自然又在一起了——那當然好，又有希望了嘛！不過我不太相信，不樂觀。

歸根結柢，知道是什麼病，好一些。一個高明的醫生，面對絕症——愈是絕望悲慘的年代，思想才真的亮。白天，不太亮的。夜裡，燈滿足於自己的亮度。

我寫過：二十世紀，不是十九世紀希望的那樣。

二十世紀條件最好，長大了，可是得了絕症。特別是近三、四十年，沒有大的戰爭，應該出大藝術家、大思想家。沒有。

壞是壞在商業社會。

第29講

中國古代小說（一）

〈霍小玉傳〉〈紅線傳〉〈昆侖奴〉施耐奄　羅貫中

1990.9.7

最早古的小說，《燕丹子》，敘荊軻刺秦王事，中國小說的老祖宗。

唐人傳奇精美、奇妙、純正，技巧一下子就達到極高的程度，契訶夫、莫泊桑、歐·亨利等西方短篇小說家若能讀中文，一定吃醋。

凡浪漫時代都敬重豪傑。司馬遷的〈刺客列傳〉、〈遊俠列傳〉，直接影響唐傳奇。司馬遷就是大豪俠，為李陵仗義一事，我以為最是豪俠。

秋天了，還很熱。在座的，已是老中青三代人。今天再提：講課到底為什麼？前面已經說過，大家學畫，何以要來聽世界文學史？重申一下有深意。

畫家如對世界文化缺少概念和修養，文人畫就沒有了。對文學、文化沒有素養，會愈來愈糊塗。兩例：畢卡索、夏卡爾（Marc Chagall）。夏卡爾是糊塗人，愈畫愈糊塗，晚年總是重複，毫無意義。畢卡索晚年，才氣盡，習慣還在，但他內心清楚：他畫不好了，脾氣壞。

這悲劇，說起來是命。我說，是他們畫畫跟世界文化與精神的管道阻塞了。光靠畫畫的通道，通不到的。

新學期開始，還得重提這個。

中國從前講琴棋書畫要通，今天失傳了，倒霉了。現在的中國科學家，你問他音樂，他以不懂為樂。我們在西方，要通氣些，他們的人文教養正常。

有人想來聽，打聽「回目」，其實是聽折子戲的心態。只要想想誰在講，誰在聽，就應該來。

古代小說是敘事性的散文

中國小說萌芽期比戲曲還早，但比戲曲成熟得晚。《三國演義》、《水滸傳》、《西遊記》，是直到戲曲高度成熟後才出現的，都在元朝以後。（常識：《三國志》，《三國演義》，不同的。演義是故事性的，志是歷史性的。）

中國人的民族性，很善說故事。

小時候家中傭人、長短工，都會講故事，看上去很笨，講起來，完全沉浸在故事裡，滔滔不絕。中國哲學家也比西方哲學家更喜以形象說理，放進很多神話、傳說、寓言，甚至笑話——這或許就是先秦諸子夾著早期的「袖珍小說」。特別是《莊子》、《列子》，寫本精美絕倫，收集起來，洋洋大觀。那時的謀士、策士，進諫皇帝，也要會講故事，否則要殺頭。

中國人都喜歡以故事情節打動別人。《漢書．藝文志》講起中國多少學問門類，其中〈諸子略〉列有小說，錄自「伊尹說」至「虞初周說」，凡十五家，作品一千三百八十篇，可見自周朝以降古代小說之興旺。

很抱歉，一個字也沒留下來，只是傳說。

最早古的小說，《燕丹子》，敘荊軻刺秦王事，中國小說的老祖宗。稍後有《神異經》、《海內十洲記》兩本古小說集，史傳作者是東方朔，否定者也無他例可代。又有《漢武帝故事》、《漢武帝秘傳》（又作《漢武內傳》）兩本小說，傳作者為班固。還有《漢武帝別國洞冥記》（簡稱《洞冥記》），寫外國，是想像出來的。還有古小說《趙飛燕外傳》。

上述，均可能是晉朝人假托漢代人寫的。

六朝之後，小說更繁，我分兩類：一類寫超自然的神怪，如《搜神記》、《續齊諧記》；一類記錄民間的軼事、名言、警句、雜事，如《世說新語》、《西京雜記》（直到清代《閱微草堂筆記》也承續這一路，作者紀曉嵐，清大才子）。

例，《搜神記》。有人名阮瞻，不信鬼，無人使其信，得意。一日有客，相談，客也善言，甚投合。談到鬼，阮說無鬼，客說有。辯久，客軟化，自稱鬼，變形嚇唬阮，遂消去。阮不久死。

再引一段《冥祥記》：

宋，王淮之，字元曾，琅琊人也。世以儒專，不信佛法。常謂：「身神俱滅，寧有三世耶？」元嘉中，為丹陽令，十年，得病絕氣，少時還復暫蘇。時建康令賀道力省疾，下床會，淮之語道力曰：「始知釋教不虛，人死神存，信有徵矣。」道力曰：「明府生平置論不爾，今何見而乃異之耶？」淮之斂眉答云：「神實不盡，佛教不得不信。」語訖而終。

《世說新語》以外，還有一本《語林》，談漢魏至晉的語言應對，可惜失傳了，遺文尚有存者（《浮生六記》也險些失傳）。現代呢，資訊太發達，一批批被沖淹了。

唐傳奇，真正的小說登場

在我看來，古代小說是敘事性的散文，嚴格說來不能算小說。直到唐代，真正的小說上場，即所謂「傳奇」。唐人傳奇精美、奇妙、純正，技巧一下子就達到極高的程度，契訶夫、莫泊桑、歐·亨利等西方短篇小說家若能讀中文，一定吃醋。

最好的是〈霍小玉傳〉、〈李娃傳〉、〈南柯太守傳〉、〈會真記〉、〈離魂記〉、〈枕中記〉、〈柳毅傳〉、〈長恨歌傳〉、〈紅線傳〉、〈虬髯客傳〉、〈劉無雙傳〉、〈昆侖奴〉等。諸位以後買來看，都是精華，可以說唐人傳奇篇篇都好。

三類：戀愛故事、豪俠故事、鬼怪故事。

第一類談愛情。例，〈霍小玉傳〉。美女子霍小玉，霍王的後裔，有貴族血統。私生子，名不正，流落民間，成妓，引名人追求。其愛人李益赴官前經家族訂婚，不敢抗，與霍小玉斷。小玉資產用光，李益後高升入都，仍不理小玉。一日在廟，眾人賞牡丹。有黃衫客引大家赴家賞牡丹，自稱更美。次日，官人李益隨黃衫客去，卻往霍小玉家，避不得，相見。小玉當面號哭飲恨而死，成鬼，擾官人一家一世。

以上愛情傳奇實在羅曼蒂克，感情張力猛大，悲歡喜怒，都唯美，十足唐風，現代中國不可能有。我少年時就羨慕那黃衫客，無名無姓，僅顏色，也沒有通訊地址，妙極……我至今願意尋找他。

〈李娃傳〉，作者白行簡，是白居易的弟弟（故事從略）。

第二類敘豪俠。凡浪漫時代都敬重豪傑。司馬遷的〈刺客列傳〉、〈遊俠列傳〉，直接影響唐傳奇。司馬遷就是大豪俠，為李陵仗義一事，我以為最是豪俠。歷史上的昏君、妖妃、貪官、汙吏在，更使歷代百姓盼望豪俠，哪怕是在小說裡透一口怨氣惡氣。沒有一個時代不嚮往豪俠，秋瑾、魯迅，都應列為豪俠，在座諸位也不乏豪俠在。

唐人傳奇中的〈紅線傳〉、〈劉無雙傳〉、〈虬髯客傳〉、〈昆侖奴〉，都很驚人。

例，〈紅線傳〉。女俠紅線，是潞州節度使（相當於軍區司令）薛嵩家中侍女。薛嵩有政敵，相爭，紅線知，請往探對方虛實。一更去，三更回，取對方枕邊寶物回。次日，薛嵩送還政敵。大驚，和好。此事後，紅線請別，舉筵餞別之際，紅線佯醉離席，不知所終。

好在寫紅線只寫事實，武藝一筆不帶著（與現在武打片正相反）。紅線「適可而止」，身分露，飄然隱去，這才是大俠本色。而深藏不露又算不得大俠，她在等待最佳時刻。千里盜盒，難度極高，姿態優美（殺對手太容易了，要你防不勝防，只好求和，豪俠之豪，就豪在沒有還價）。我小時候看京劇《紅線盜盒》，大著迷，那刀馬旦的行頭，緊俏好看。

我烏鎮老家曾有「俠」來，搜寶不得，留字而去，指明天請查堂匾，梁上竟有棉被鋪著，似荔枝、桂圓殼盡在。

從前遊俠著黑衣，盤扣密密麻麻，薄底輕靴。

〈昆侖奴〉也很生動。敘崔生奉父命往視大臣病，大臣命一妓以一甌緋桃、沃甘酪奉客，崔生羞不食，大臣命妓以匙餵之。及生辭去，此妓送出院，臨別出三指、反掌三度，再指胸前圓鏡。崔生歸，苦念妓，比畫再三，莫解其意。家有昆侖奴名磨勒，見主憂苦，問其故，生告之。磨勒曰：出三指是她住第三院，三反掌是示十五之數，胸鏡是指明月，盼你十五月圓夜赴第三院相會。屆時磨勒負主逾十重高牆，與妓歡晤，又負兩人同出。後大臣知情，崔氏夫婦已隱去。磨勒受困，飛出重圍。十餘年後，崔氏家人在洛陽見磨勒在市賣藥，容顏如舊。寫得多麼好啊！

第三類志神怪，而唐神怪寫得更好。後來的《聊齋志異》文筆果然是好，論情節故事，卻難有一篇比得〈枕中記〉、〈南柯太守傳〉，明明是怪異的寓言，能寫得如此人情深刻，闊大自然。

例，〈枕中記〉。窮書生得枕，夢見榮華富貴，娶美妻，登顯官，壽八秩，兒孫滿堂，乃含笑而逝，醒來如故。至此，所寄居的旅館主人蒸黃粱，還沒蒸熟。有道家思想，但蒸黃粱一節，實在是靈感。

施耐庵，讓小說走上高峰

中國文學大多古奧淵雅，專供士大夫欣賞，給成年人欣賞，沒有兒童文學，但一直有民間社會存在，直到四十年前，消亡了。按我看，中國文學有三層關係：我與母親一層（士大夫），傭人一層（民間），還有我與傭人的師生關係一層。

他們看寶卷、話本，有木版，有手抄，同樣是《岳飛傳》、《梁祝》，但版本不一樣的。凡當時流傳的中國民間文學，今多已蕩然無存。主要靠口傳，部分靠手抄，怎能留得下來？

敦煌曾發現鈔本小說幾種，今在大英博物館。

古代民間文學都是白話文。白話文古已有之，絕非「五四」以後才有，其行文之生動，遠過於今之白話文。

古代說話成一行業，分四家（派）。其一，小說，北方稱「銀字兒」；其二，說經，講佛家故事，勸人為善，參禪悟道；其三，講史，通俗淺顯地解釋通鑒、史話；其四，合生，講當代故事，是報告文學、新聞，從古代講到當時。

說書人的底本就是話本。宋以前，中國沒有中長篇小說，只有敘述性散文、筆記、話本。元明以後，約十四世紀後，才出現長篇，所謂演義、章回小說。

歷史說來不是有板有眼的。沒有就是沒有，來了就來了。

到《水滸傳》，技巧大有進步。人物一百零八，名字全是作者起的。起名字容易嗎？可不是！一個小說家不會起人物名字，先已完蛋了。你看看現代小說起的那些名字。

武松、魯智深、盧俊義、李逵、林沖……個性描寫遊刃有餘，個個清楚，筆墨酣暢，元氣淋漓。每個人出身穿著，細細地寫，都有滋味——從此小說走上高峰，一反中國古文學陰柔氣，一派陽剛氣。

原本幾乎沒有見過，今本是金聖歎標點的，贊成悲劇結尾。《水滸傳》實在是才子書。作者到底是誰？有說是施耐庵，也有說是羅貫中，也有說，施耐庵作於前、羅貫中續於後。我的見解——至少是願望——是施耐庵。但願如是。我見過一篇施耐庵作的序，極好。

「風雪夜，聽我說書者五六人，陰雨，七八人，風和日麗，十人，我讀，眾人聽，都高興，別無他想。」我幼時讀，大喜，不想後來我在紐約講課，也如此。

施耐庵（一二九六？——一三七〇？）性格有一點點像巴爾札克——寫起來興致勃勃。

人說《水滸傳》女人寫得不好，無好女人，可是《紅樓夢》沒一個完整的男人。求全，不是求完美。我不講《水滸傳》，只望大家再讀。我願武斷地說，大家從前是讀其故事、人物，今再讀，要去讀施耐庵，讀文學！

羅貫中、《三國演義》

志：歷史。演義：小說。

三國史料相當多，可說是對三國三分天下時代的紀念。唐紀念一回，宋紀念一回。文學家創《三國演義》，無損歷史真實。讓歷史的還給歷史，藝術的還給藝術。

羅貫中（約一三三〇—約一四〇〇），據說是施耐庵的學生。陳壽寫《三國志》，因寫史，畏首畏尾，讀起來急死人。《三國演義》則是純粹的藝術，但不要以現代小說去要求它。

讀三顧茅廬之第一顧——像什麼？像協奏曲的引子，鋼琴還沒彈起來，前面已如此豐富。三顧時，孔明有詩，好詩！

大夢誰先覺，平生我自知。
草堂春睡足，窗外日遲遲。

孔明文集中沒有這首詩，是羅貫中寫的。厲害！

中國歷史上才德兼備、最完美的政治家，是諸葛亮。

你們再看中國小說，又要消除現代人的迷障，又要隔岸觀火，要跳過此岸，回到古代。向未來看是胸襟寬闊，向古代看也是胸襟寬闊。如能做到，是一種感知豐富、進退自如的境界——前可見古人，後可見來者。人，無非是借助過去和未來支撐的。陳子昂：「前不見古人，後不見來者。念天地之悠悠，獨愴然而涕下。」這是一種藝術的態度。藝術的態度是瞬間的、靈感的、認識變化的，此外是日常的、生活的基本態度，健朗的態度。藝術態度、生活態度，都要保持平衡、健朗。這種生活的基調——前見古人，後見來者——是所謂教養。教養何來？是藝術教養出來的。

藝術和生活是這樣的關係，不相擾。但藝術教養可以提高生活。

「文革」之中，死不得，活不成，怎能活下來呢？想到藝術的教養——為了不辜負這些教養，活下去。

中國古典文學民國版書影。這些彩版封面，可能即木心所說的民間讀本，為當時的僕傭階層所喜。

第30講

中世紀日本文學

《萬葉集》《古今和歌集》《源氏物語》《枕草子》

1990.9.20

講日本歷史，總要講到平安朝。太平盛世，豪華，公子個個多情，女子個個薄命，都很病態。當時有一門學問必修：戀愛學——如何獻殷勤，寫情書，眉目傳情。因此出小説《源氏物語》，是世界上的大小説。

日本開始的文學是陰柔的，到鐮倉時代，陽剛的文學出現了。當時內戰起，全國重武輕文，保存文藝的是和尚。

鐮倉期文學是多元的，離亂的，個人的，黨派的，武士道精神發揚起來。出歌謠，悲愴，題材取中國故事。產生兩種文學形式：「能劇」、「狂言」。能劇是嚴謹的，狂言是灑脱的，都有男性氣概。

也許你們年輕，對日本仇恨不深。我記得七十年代中日恢復邦交，在上海辦交易展，升日本旗，市民憤怒驚心，往事全到心上，受不了。

現在講日本文學。東方黃種人，日本是個異數，唯日本不沒落，還強大如此。看日本產品，是先進發達，沒話說，但日本人我總是看不起。

他們有武士道精神，無論復仇、侵略、建設，都一鼓作氣。中國沒有這股氣。這個民族值得大家注意。

他們的文化藝術和科技成就，是不相稱的。不出大畫家，不過是國門內稱大。但是先在國內捧大，聰明的。

唐朝時日本人在長安留學，取中國名字，現在我們到日本留學。日本非常會用中國文化，很快拿過去，立刻變成他們自己的。

希望大家有機會都去日本看看。

奈良時代：詩歌《萬葉集》

日本文化源流，始自中世紀。日本古代沒有文學，連有無文字都成問題。公元二八四年，中國晉朝時，大文人王仁東渡日本，把中國《論語》、《千字文》傳到日本，日本始用漢字、漢文寫文章，故中世紀日本完全受中國影響。

日本民族起源，據說是秦始皇謀長壽，差徐某人到日本去找長生不老藥。徐回說有，但有龍魚包圍，不得進，非得童男童女才能入仙山，於是帶去。他聰明，這是移民。

從此一去不復返，在日本島上繁殖起來。

但看來徐未以文字教化。徐有文化，他可能根本未去日本，而日本族是自己遺傳下來的。

日本的祈禱詞與歌，稱「和歌」。但形成不了文化。

中國人向來喜歡賣老，日本人不賣老。

八世紀時，日本進入奈良時代（七一〇—七九四），文學出現可以看看的東西，散文出《古事記》，詩歌出《萬葉集》，在日本古文學中很重要。

《萬葉集》出在奈良時代末期，作者不詳，據說是一個叫做大伴家持（約七一八—七八五）的編集起來，也加入自己的作品。共收集四千五百首，先後歷一百三十年的作品。

特點是自然的、原始的、淳樸的。形式分長歌、短歌、旋頭歌、雜歌、四季歌、四季相聞等。廣義地講人倫情愛，父母兄弟夫妻相逢離別之類。日本文學若不講解、辨味，單看是不習慣的。如看其工藝品、和服，得換一種眼光、角度。

柿本人麿短歌：

秋山的紅葉繁茂，
欲覓迷途的妻，
但不識歸路。

去年看過秋夜的月，
依舊照著，
同眺的妻，

漸漸遠了。

……

相思著過了今朝，

有雲霧籠罩的明日之春，

怎樣過呢！

很淺，淺得有味道，日本氣很強。好像和中國的像，但混淆不起來。

莫問立在那裡的是誰，

是九月露水沾濕了等待君的我。

這樣的深夜休要歸來呀！

道旁的小竹上鋪著霜呢。

抱著原諒的心情去看這些詩，很輕，很薄，半透明，紙的木的竹的。日本味。非唐非宋，也非近代中國的白話詩。平靜，恬淡。

在日本人的居所裡待著，思想會停頓的，太恬淡、嫻雅。酒、茶、飯，有情趣——這種環境，沒有思想，有，也深不下去。日本本國一個思想家也沒有，都是從中國拿去和歐洲來的思想。

但日本總讓我好奇，凡日本的東西，去看一眼——我稱之為浮面效果：日本如浮萍，沒根沒柢的；也非常狡猾，頭頭是道，沒有下文。日本人不可以談戀愛，也不可做朋友。很怪，終究是乏味的。

日本旗很有象徵性，很倔強。有魔性，有惡意。很刻苦，也很享樂。日本人很會做自己的奴隸。

這個民族很難對付。

上次講到俳句。五字，七字，三行。我寫俳句，一點日本風也沒有。不是排斥，是學不來，那麼輕、薄、無所謂。

他們是真俳句，我是借借名稱，性質上地比較厚、薄、輕、重，中日民族氣質不一樣。輕不一定不好，蝴蝶的翅膀、花瓣，都很薄，很好嘛。不必對淺的東西驕傲，也把自己弄淺了。

詩人柿本人麿（六六二—七一〇），是大家（日人姓名，前兩字是他出生地），長歌寫得最好。文字端麗，格調整齊。另有山部赤人（？—約七三六），聲調好聽，想像豐富，兩人並稱為歌聖。

山部赤人歌十首：

和歌浦中潮滿時，
砂洲已看不見了，
白鶴朝蘆邊鳴著飛去。

夜漸深了，
長著楸樹的清靜河原，
千鳥頻啼。

……

柿本人麿，善寫長歌。

從明日起去摘嫩葉，
預定的野地，
昨日落了雪，
今天也落雪。

不見哪兒有力度、深度，或有智慧出現，你要寫卻寫不出來。真像他們的芥末、木拖鞋、紙燈籠。

稗田阿禮，大臣，受天皇寵愛，天皇以歷代皇位繼承及皇家先代古史口授於他，太安萬侶將這口傳記錄為歷史。一個民族立國之初，都假托於神話，修國史也以神話為第一章——說日本國最初國土是流動不成形的，太陽月亮未照臨過，一片混沌。後來出兩神，其一以矛攪海水，矛上滴下的海水積成島，神在島上開始繁殖起來了。

一生生出海神、風神、雲神……這種神話比比中國、印度的神話，不通情理，又沒有西方神話的有趣，不講了。

山部赤人，詩人，與柿本人麿並稱為歌聖（資料來源：I,Saiko）。

平安朝：《古今和歌集》及詩人

講日本歷史，總要講到平安朝（七九四—一一九二）。太平盛世，豪華，公子個個多情，女子個個薄命，都很病態。當時有一門學問必修：戀愛學——如何獻殷勤，寫情書，眉目傳情。因此出小說《源氏物語》，是世界上的大小說，皇皇巨著，與《紅樓夢》、《聖西門回憶錄》、《追憶似水年華》並稱四大巨著。我曾與李夢熊高談闊論這四本書，其實我只看過《源氏物語》的部分，其中一帖〈桐壺〉，好得不得了，文字像糯米一樣柔軟，但看全本，到底不如《紅樓夢》。

一句話：是病態的，女性的，無聊的。客觀地講，平安朝的文字已成體系，照日本人自己看，就算文學黃金期了。

還因為出現了平假名、片假名之說。其實是整個借字和局部借字之說，如「伊」成「イ」，「宇」成「ウ」而已。日本人看起來結結巴巴，其實非常靈活，會圖方便，借起來偷起來，很聰明。

平安朝名著《古今和歌集》。有天皇名「醍醐天皇」（八九七—九三〇年在位），叫大臣紀貫之召集四人收《萬葉集》中未收入的和歌，湊成二十卷。其因果關係，我看是見到唐代文明文化的崩潰，覺得靠人靠不住，遂來創立自己的精神倉庫。

漢文化也太艱深，日本人受不了的，不如自己來唱簡單的和歌。這天皇愛舞文弄墨，上有好之，下必效之。照我的老說法：又正好當時出天才。

這全集以季節分冊歸類，其中有賀歌、離別歌、詠物歌、戀歌、哀歌、傷歌、雜歌等等，思想基調是儒家道家的融合，如：

月非昔日之月，
春非昔日之春，
唯我乃昔之我。

怪味道。甜不甜，鹹不鹹，日本腔。作者在原業平（八二五—八八〇），是平城天皇之孫，當權的不是他（類似曹植的處境），而性情溫靜幽雅、憤世嫉俗（有點像賈寶玉），詩尚天真，很能動人（有點像納蘭性德）。

當時最傑出的詩人是紀貫之（平安朝前期人，約八七二—約九四五）。幼承家學，每作一歌必推敲，務求穩健閒雅。例：

不知明日的我，
趁今日未落，
想念我的人兒吧！

再後來是源順（村上天皇天曆中人）最有名，作風多樣，優美的如：

算算那映在冰上的月色，
今宵是中秋呀！

紀貫之，平安朝最傑出的詩人。

纖巧的如：

前年、去年、今年，前天、昨天、今天，

戀著君的我呀！

這種詩當時被認為怪誕、不見容，今天看來，沒有意思。和「古道，西風，瘦馬」不能比。創新，是創好的意思。現代人單純局限於「創」，是個大陷阱，現代以為美已表達完了，來創造醜，醜看慣了，可以成美，這是美的概念的偷換。

還有《古今和歌集》的續編、《拾遺和歌集》、擴大到馬夫的歌的《催馬樂》，還有《和漢朗詠集》，是婦人花晨月夕的歌，佛家的梵唱，也都收入。

平安朝：兩大物語《源氏物語》、《枕草子》

平安朝最重要的散文是「物語」，類似中國所謂「故事」。最好的是《源氏物語》，作者紫式部（九七三？—一〇一四或一〇二五？），是宮廷貴婦人，也是女官，父親是大學問家。紫式部博學早寡，守在宮中，和《紅樓夢》一樣，是回憶文學。但和《紅樓夢》不一樣的，是她寫完了。

你們最好去看錢稻孫譯筆（好像他只譯了〈桐壺〉一帖），後來豐子愷翻的不行。

其他還有很多「物語」。

「日記」，在當時也是很好的文學形式。「旅行日記」也是。

和《源氏物語》齊名的是《枕草子》，作者清少納言（九六六—一〇二五）

紫式部，宮廷貴婦人，《源氏物語》作者。

也是貴婦人，女官，後半生隱居尼姑庵，極清苦。日夜置稿於枕邊，思有得，即寫，故不連貫，所述極繁，是隨筆的先祖。

鐮倉時代：「能劇」、「狂言」

日本開始的文學是陰柔的，到鐮倉時代（一一八六——一三三二），陽剛的文學出現了。當時內戰起，全國重武輕文，保存文藝的是和尚。

平安朝文學溫文儒雅。鐮倉期文學劍拔弩張。

那時期文學是多元的，離亂的，個人的，黨派的，武士道精神發揚起來。初期成日本文化黑暗期，也如西方一樣，黑暗中有光明。出歌謠，悲愴，題材取中國故事。產生兩種文學形式：「能劇」、「狂言」。能劇是嚴謹的，狂言是灑脫的，都有男性氣概。

以上都是散文。

韻文，產生一種「連歌」。如：

春到，
　雪融化。
　雪融化，
　草就長出來了。

傻不可及。

從奈良時代進入平安朝，從平安朝進入鐮倉時代，從鐮倉時代進入黑暗期。記清楚了，將來到日本就可以明白。重點，是奈良和平安兩期。

*

中國唐文化對日本的影響真是觸目皆然。世界上再沒有兩國文化如此交織。但這交織是單向的，只日本學中國，中國不學日本。日本的文化、藝術、生活，都是中國模式。中國自唐以後，宋、元、明、清，照理可向日本取回饋，但一點影子也沒有。中國人向來骨子裡是藐視日本人，曰：小日本、矮東洋、鬼子、倭奴。其實是吃虧的，早就該向日本文化要求回饋。

到清末，連連派人東渡日本留學，或亡命日本。章太炎、魯迅、周作人、茅盾、郭沫若、郁達夫，統統到日本，拆穿東洋鏡。中國翻譯西方文學，多數是從日文轉手的。很多名詞，如「影響」、「條件」、「經濟」（經世濟民）等等，是從日文照搬過來的。現在講日本古代，還看不出日本厲害，講到十九世紀日本，那就厲害了。

日本的好處是沒有成見，善於模仿，不動聲色地模仿，技巧拿到後，知道了，再改一改，就成為自己的了。

譬如和服。始於漢服，寬袍大袖，但古漢服袖太長，今不合穿，日本人則還是寬袍大袖，截去過大之袖。今和服成世界性時裝，而漢家衣冠早已死亡。

譬如喝茶。中國講究茶具，環境士大夫化。可是士大夫沒有了，茶則淪為茶館，賣茶葉蛋。日本卻規規矩矩、恭恭敬敬弄成茶道（當然，日本真正懂茶道、行茶道的人也不很多，餘皆野狐禪），其實是將茶弄成形上，成為一種禮，對茶這種最有性靈的飲料，保持尊敬，尊敬茶，其實就是尊敬自己。

譬如插花。原是中國折枝的看家本領，宋朝院畫的尺幅，是折枝的範本。

《紅樓夢》、《浮生六記》，都寫到插花的藝術，不僅用花名貴，蒲草、野蓮，甚至荊棘，也能採入，一瓶一缸，隨心所欲，插花插到風晴雨露，還將蝴蝶、昆蟲綴入花間——這給日本學過去了。中國失傳。現在誰懂插花？連中國畫家、工藝家的家中也放塑料花。日本人重視花道，甚至開辦學校，從一些樣本看，插出神來，令人拍案叫絕。

庭院佈置，日本獨步。

其他如空手道、食品、燈籠、紡織品、漆器、竹木器……日本都保持自己的面目，看似輕輕易易，都有用心。中國眼下的所謂民族風格，咬牙切齒，不倫不類。

真正理解日本文化的是誰？中國人。

我看日本生活情調，居高臨下。他們再好，再精緻，我一目了然。原因是中國太腐敗。

提到東方，日本可以看看。希望在座都去日本看看，看看日本芸芸眾生如何芸芸。我是日本文藝的知音，知音，但不知心——他們沒有多大的心。

日本對中國文化是一種誤解。但這一誤解，誤解出自己的風格，誤解得好。

老一輩人說，日本民族不得好死。但在死之前，可得好活。

第31講

文藝復興與莎士比亞

阿里奧斯托　蒙田　塞萬提斯　莫爾　培根　《哈姆雷特》

1990.10.15

《君主論》，講韜略，講權謀，與中國兵法比，更赤裸裸談論權力與統治。中國講權謀，有遮羞布、幌子、大旗，馬基雅維里直截了當講。

塞萬提斯，典型西班牙男子冒險的一生。先與土耳其人打仗，失左臂，醒來後人告知失臂，他說：「那右臂就更偉大更有力量了。」

《哈姆雷特》是莎翁所有名著中最大的一顆明珠、寶石。全世界文學名著少了《哈姆雷特》，不可想像。凡生於莎士比亞之後的文學家，都再三熟讀《哈姆雷特》——中國例外。

在座的畫家很熟悉：文藝復興是歐洲的老本。講到文藝復興，是指意大利文藝復興。歐洲文藝復興，是指別國。

Renaissance，「再生」之意。

公元十五到十六世紀之間，經漫長中世紀，歐洲文化在新的平面上復活了（目前的兩德統一，有點像文藝復興了）。但很難指哪年到哪年。我們常說的「近代」，有兩種定義：一是指十九世紀工業革命以降；一是推得遠了，自文藝復興算起。從全世界歷史來看，應從文藝復興算起，從唐吉軻德騎著瘦馬出來，「近代」開始了。

拿這常識、觀念，可去看別人的理論。理論中，有實用的，從「知識」談現代；有非實用的，從「審美」談現代。

文藝復興：意大利

聖．奧古斯丁死後六百多年間，修道院留下了中古以前的歐洲文化。西方文化的這個「文化虎子」，還是在西方這個「虎穴」中。但敲鐘喚醒文藝復興的人，是意大利的但丁和英國的喬叟。

我們講文學史，要扯到歷史。公元一四五三年，君士坦丁堡被攻陷，希臘的文化人逃到意大利，把希臘文化藝術帶到意大利，這份很厚的禮物，就是後來文藝復興的種子。

當時哥倫布發現美洲，德國已有印刷廠，意大利已會造紙（李約瑟曾論證中國的火藥和馬蹄鐵，摧毀了歐洲中世紀的封建王朝）。歐洲對世界發生了新的看法，新的觀念。整個歐洲彌漫著政治文化的種種新問題，造成空前的思想活躍。新的疑問形成新的答案，新的解答形諸印刷與傳播。

蒸汽機推動了工業革命，印刷機推動了文藝復興。

為何發生在意大利？最靠近希臘，本土又有羅馬文化。故有說法：佛羅倫斯之於雅典，一如月亮反映了太陽。

文學史，講誰好呢？我想，講馬基雅維里，講阿里奧斯托。以後去旅行前，要好好讀那國的書，瞭解熟悉後去，有收穫。

馬基雅維里（Niccolò Machiavelli，一四六九—一五二七），是佛羅倫斯人。三十歲不到出任佛羅倫斯共和國秘書，常出使外國和法國路易十二的宮廷，與意大利主教、軍事領袖凱撒·博吉亞（Cesare Borgia，一四七五—一五〇七）談判（達文西即曾被凱撒·博吉亞雇用），後被政敵所害，入獄。晚年隱在小村裡寫作。最重要著作《君主論》（*Ic Principe*），拿破崙、希特勒，都讀。

我可大膽地說，人類中最有獨特性格的就是馬基雅維里。他怪在判斷力、觀察力非常敏銳，但辦起事來非常率性，老要人做壞事，自己不做壞事。

他自稱是人類的公共秘書。所謂「風聲雨聲聲聲入耳，家事國事事事關心」，即馬基雅維里。

他是個怪傑。你們翻翻世界偉人的辭典，耶穌、蘇格拉底、柏拉圖……馬基雅維里總是列位其中。他的《君主論》，講韜略，講權謀，與中國兵法比，更赤裸裸談論權力與統治。中國講權謀，有遮羞布、幌子、大旗，馬基雅維里直截了當講。

中國的聖人教人做好事，自己不做。馬基雅維里叫人做壞事，自己不做。他就事論事的那一套，與理想主義相反。

他寫凱撒·博吉亞王背叛上帝，毫無憐憫，蛇蠍心腸，應受惡報。另一篇章中又奉凱撒·博吉亞為統治者的楷模，大事讚賞。馬基雅維里搞什麼名堂？出爾反爾——很有趣，說穿了，他講了兩個層次的老實話。一，凱撒·博吉亞是壞蛋，惡棍；二，要做統治者，不像凱撒·博吉亞那樣做，你做不成。

西方的拿破崙、俾斯麥等寡頭，都以馬基雅維里的理論為然。一切理論，凡要如此做，不如此做，都是或大或小或遠或近的理想主義，馬基雅維里的理論，是人和事實際是如何的。從這個觀點看，霍布斯（Thomas Hobbes）、博林布羅克（Bolingbroke，一譯作鮑林白洛克）、休謨、孟德斯鳩，都可說是馬基雅維里的學生。

我以為培根論他最中肯。培根說：「我們十分感謝馬基雅維里。他寫出了人所做的事，而不是人應該做的事。」

這當然是俏皮話。我對馬基雅維里如何評價？

馬基雅維里的觀點或辦法，應該看作一種反諷。你和政治惡魔周旋，你要知彼知己。你講實際，我比你更實際。你同惡人打交道，要惡過他的頭。中國古代的所有軍師鬥法，都是馬基雅維里一路。向來以為他公開宣揚惡，以惡制惡，我

馬基亞維里，最重要著作《君主論》，拿破崙、希特勒，都讀。

以為他是反諷。

阿里奧斯托（Ludovico Ariosto，一四七四—一五三三），（馬基雅維里不是文學家，是人文學家。）三十一歲開始寫他的長詩《瘋狂的奧蘭多》（*Orlando Furioso*），歷十年成，是文藝復興時代最純粹最完美的詩，是那時的精銳之所在。

什麼是文藝復興的精銳？即對生命的興趣，對生活的興趣，對人的興趣。而在當時宗教宣揚神的興趣。神的興趣，即死後的興趣。

我不是我，不是從前的那個人，
奧蘭多，他死了，他埋葬了。
他的最不快樂的愛，
殺死了他，割去了他的頭。
我是他的鬼，走上走下，必須經過
這個痛苦的漫長的峽谷，
成為一個範例，一個定則
給別人看，

給那些把真誠放在戀愛上的蠢人看。

這是阿里奧斯托失戀後的詩句的大意。口氣很像莎士比亞。莎士比亞受他影響。拜倫、普希金，都受他影響。阿里奧斯托是浪漫主義的祖父，我小時候讀他的書，就喜歡他。

還有一位對後世影響很大的詩人，塔索（Torquato Tasso，一五四四—一五九九）。多情。名著《被解放的耶路撒冷》（*Jerusalem Delivered*）。晚年半瘋狂。

阿里奧斯托，浪漫主義的祖父。莎士比亞、拜倫、普希金，都受其影響。

歐洲的文藝復興：英、法、西

現在講英、法、西班牙的文藝復興。

先講法國。當時最偉大的作家是弗朗索瓦·拉伯雷（François Rabelais，約一四九三—一五五三）。他與塞萬提斯、莎士比亞並稱為歐洲三巨人，偉大可想而知。

文藝復興是苦行主義的中古精神之後的求知、行樂、進取、嫵媚，這些精神正好集中於拉伯雷作品。拉伯雷年輕時是教士，後來拋棄順利的生活，成為在家的修士（也有修道者離開家庭）。他有三十多年傳道生活，深知幽閉禁欲的壞處苦處。

我們和拉伯雷相隔數百年，我們也深知禁書禁欲的壞處，深知隔離審查的苦處。

拉伯雷老在作品中嘲笑聖女，擴大到嘲笑一切人和事物，刻骨銘心的嘲笑，但不冷酷、不憤怒。他的滑稽是淳樸的、忠厚的，他的深刻性正在於此。我曾給他一個名稱，叫做「敏感的人道主義者，粗魯的文學家」。

拉伯雷，敏感的人道主義者，粗魯的文學家。

另一位蒙田（Michel de Montaigne，一五三三—一五九二），一度少有人知。蒙田為人平和，新教徒受舊教徒迫害，起來報復，他認為何必害來害去，既為新教徒辯護，也為舊教徒辯護。

我總把他看成懷疑主義家譜裡的前輩。「將容忍和自尊保持得最好的人。」這是我對他的評價。容忍，最大度的容忍，自尊，最高度的自尊。我自勉，也共勉。但很難做到。我在獄中曾經想起蒙田的一句話，這句話，是他引自一位古代水手的：

> 哦，上帝，你要救我就救我，你要毀滅我就毀滅我，但我時時刻刻把持住我的舵。

另有一句：

> 世上最大的事，是一個人知道什麼才是他自己的。

這句話對藝術家很好。人要臨危不亂，臨幸福也不亂。

蒙田，將容忍和自尊保持得最好的人。

國王對他說：「我喜歡你的書。」他馬上說：「那麼，你應該喜歡我的人。」可敬可愛！他憎惡狂熱的信仰、恐怖的行為、殘酷的刑罰。論及「人道主義」，不要忘了蒙田。

十六世紀是西班牙生氣勃勃的時代。北非人、猶太人已被逐走，西班牙獨立了——太陽下有一位斷臂乞丐。英法記者要找塞萬提斯。乞丐說：是我。記者驚訝：你會寫東西嗎？塞萬提斯說：我寫過一本《唐吉軻德》。記者說：你知道嗎，你在英法大名鼎鼎。塞萬提斯回答：西班牙人不知道我是西班牙人，所以我也不知道。

從前騎士很慘，晚年退休後沒有保障，弱者當雇傭兵，強者當強盜。制度沒落了，塞萬提斯就寫騎士。寫到後來，他自己的血液流到主角身上，成為騎士的意念，覺得騎士的善良被浪費了。惟其浪費，才是真的善良。這是塞萬提斯的偉大的善良。

塞萬提斯（Miguel de Cervantes Saavedra，一五四七——一六一六），與莎士比亞同年同月同日死。典型西班牙男子冒險的一生。先與土耳其人打仗，失左臂，醒來後人告知失臂，他說：「那右臂就更偉大更有力量了。」曾被強盜搶去，又贖回。

三十四歲寫作（大家三十多歲寫作，不遲啊），一邊任小職。脾氣不好，常入獄。出書後成名，一點好處也沒有，還要飯。後十年寫成《唐吉軻德》（*Don Quixote*）。這是一本以嘲笑開始、以祈禱結束的偉大的人道主義的傑作。騎士的行徑怪誕不經，悖於情理，可是你讀著讀著，會深深同情他。這就是塞萬提斯的文學魅力。少年人讀《唐吉軻德》，不會懂的。

我二十三歲時，想論《哈姆雷特》，也要論《唐吉軻德》。這是人類的兩大類型（停下來，向大家介紹屠格涅夫論這兩種類型的著名演講）。我的論文就是與屠格涅夫辯論。他貶《哈姆雷特》，因他自己是哈姆雷特型。但我不同意。我講課是講課，寫作是另一回事，演講也不一樣。寫作是面對上帝（藝術），講課是面對學生（朋友），演講是面對群眾（平民）。

耶穌天然知道這層次。對上帝說的話，絕不對門徒講，對門徒講的話，不對群眾講。「該懂的懂，不該懂的就讓他不懂。」

塞萬提斯，三十四歲開始寫作，脾氣不好，常入獄，著有《唐吉軻德》。

蕭邦的音樂，就是對上帝說的，獨自彈琴，點上蠟燭，眾文豪只能偷偷躲在窗下院中聽。

文藝復興最有學問的人，一是荷蘭的伊拉斯謨，一是英國人托馬斯．莫爾，著有《烏托邦》。

當時人很重視知識，狂熱追求知識。伊拉斯謨（Erasmus，一四六六——一五三六），曾得教皇與各國國王請教，他以拉丁文寫作，作品宏富，最著者有《愚人頌》（*The Praise of Folly*），諷刺世俗的眾生。一出七版。什麼緣故？我以為每個世俗的人都喜歡罵世俗的書，以此認為自己不俗。

伊拉斯謨，歐洲文藝復興最有學問的人之一。

莫爾和伊拉斯謨是朋友。

英國的文藝復興是隨著**莫爾**（Thomas More，一四七八——一五三五）的著作而來的。他比莎士比亞約早一百年，與馬基雅維里同輩，是英國文藝復興的先驅者。

莫爾不是《烏托邦》（*Utopia*）初想者，最早的構想者是柏拉圖的《理想國》。文藝復興的可愛，是前可見古人，後可見來者。後現代其實也可以文藝復興。我們發現了宇宙，又發現了基本粒子。這兩大發現，應能產生新的文藝復興。但科學跑得太快，人文跟不上。這悲劇，是忘記了古代的人文傳統，而且拋棄了。現代的知識爆炸，炸死了人性。故尼采當時就責怪啟蒙運動，理性扼殺了人性。

莫爾，英國文藝復興的先驅者。

英國文藝復興的散文作家還有羅伯特・赫里克（Robert Herrick，一五九一——一六七四）。

從前整個歐洲，正規的寫作都要用拉丁文。可是十六世紀但丁以意大利文寫作，英國人以英文寫作，發掘了本國的語言。在英國，伊麗莎白女王（Elizabeth I）是個好國王，愛文學；在意大利，有梅第奇家族（Medici family）。在當時，這兩個偉大的文藝贊助人至關重要。

伊麗莎白女王登基前，已有兩位詩人出現：托馬斯·懷特（Thomas Wyatt）、莎里伯爵（Henry Howard, the Earl of Surrey），以英文寫十四行詩。後有西德尼及斯賓塞。

西德尼（Philip Sidney，一五五四—一五八六）寫詩、散文，兼學者和旅行家。他的《詩辯》（*Apology for Poetry*）是詩人衛護藝術的妙文。他的十四行詩集有些雕琢，但不失懇摯。

斯賓塞（Edmund Spencer，一五五二—一五九九）是英國文學史上的大詩人，少年時已能翻譯彼特拉克（Francesco Petrarca，一三〇四—一三七四），第一部詩集《牧人的日記》（*The Shepheardes Calender*），獻給西德尼。死後葬於西敏寺，位近喬叟之墓。代表作《仙后》（*The Faerie Queene*），比喻繁複，不易懂，寫武士、巨龍，影響到後來的彌爾頓、蒲柏、濟慈。

伊麗莎白在位時，又有雷利爵士（Sir Walter Raleigh）、德雷頓（Michael Drayton）、本·瓊生、培根。

講莎士比亞前，先要講英國兩位偉大的文學家。

本・瓊生（Ben Jonson，約一五七二—一六三七），小莎士比亞八歲，兩人是好友。他當過兵。二十多歲後與伶人為友，多作諷刺劇，如《每人都在他自己的滑稽中》（*Every Man in His Humour*）。上演時，莎士比亞是演員。

培根（Francis Bacon，一五六一—一六二六）是政治家、法學家，又是哲學家、文學家，每方面都占很高的地位。知識淵博，博及整個時代，思想感動整個世界，強調知識與實據。思想有血有肉，觀點明達。論文集最佳，小說寫過《新大西洋島》（*The New Atlantis*），實為他的理想國。他將自己的理想寫得很仔細。他的格言、短句，非常出色。我常愛接引他的話，與他彆扭，侃大山。

莎士比亞，僅次於上帝的人

莎士比亞，值得講四小時、八小時……但這是文學史通論，只能以後慢慢來，準備足夠，下功夫，才能講。

莎士比亞碰不得。研究莎士比亞的書早已成了圖書館，永遠發掘不完。其實真正偉大的作品，沒有什麼好評論的，評論不過是喝彩。那年希臘雕刻來紐約展覽，我看了，啞口無言。看不完的呀，我又不能躺下。躺下，盡看，也看不完。

威廉・莎士比亞（William Shakespeare，一五六四—一六一六）。二十二歲到倫敦（奇怪，天才都知道離開家鄉，都知道要到哪兒去。從這點看，在座都是天才）。最初在劇場打工（我看是打基礎），後修改古代劇本——這都對的，天才是天才，基本功都有的，不必進學校，不必碩士學位——後來寫了二十年，成三十七個劇本。一類喜劇，一類悲劇，一類歷史劇。代表作：

《仲夏夜之夢》（*A Midsummer Night's Dream*），喜劇。

《哈姆雷特》（*Hamlet*），悲劇。

《凱撒大帝》（*Julius Caesar*），歷史劇。

劇中人物的身分和性格非常複雜，凡人、名人、仙人，一上臺幾句話，個性畢現，忘不了。這是極大特點。藝術家呈現這個世界，唯一的依本，就是他自己。

莎士比亞表現莎士比亞。

「僅次於上帝的人。」木心書房裡的莎士比亞小像。

早期寫喜劇，中期寫歷史劇，晚年寫他深刻的悲劇。悲劇中又有喜劇的分子，他以為悲喜是一起的（中國的紹興戲叫做苦劇，一苦到底，帶好手帕去哭）。他最後的七年八年，安詳而醇熟。他自己知道使命告終，地位永恆。可惜誰也沒有對他說過：威廉，你是僅次於上帝的人。

正因為僅次於上帝，比上帝可愛。

我排列莎劇，精品中的精品，共十本：《仲夏夜之夢》、《暴風雨》、《威尼斯商人》、《凱撒大帝》、《安東尼與克麗奧佩特拉》、《羅密歐與茱麗葉》、《奧賽羅》、《馬克白》、《哈姆雷特》、《李爾王》。

你們看書可惜太少。不但少，遍數也太少。莎劇，我看過五、六十遍，為什麼呢？年年中秋吃月餅，多少月餅？上禮拜堂，天天上。福音書，我讀過百多遍。每次讀都不一樣，到老也懂不透的。

有人一看書就賣弄。多看幾遍再賣弄吧——多看幾遍就不賣弄了。

先看《羅密歐與茱麗葉》（*Romeo and Juliet*）。後人再寫少男少女，寫不過莎士比亞了！在偉大的作品前痛感絕望，真是快樂的絕望！陽臺下羅密歐偷聽茱麗葉的獨白，之後的幽會，對白，黎明分別時的對話，是全劇的精華，凌絕千古。把茱麗葉定在十四歲，就定得好。兩家世仇因是幾代相傳，忘記了，然而到少男少女殉情後，才見真情，兩家明白不能再仇恨了。

《奧賽羅》（*Othello*），男主角代表愛，忠誠，嫉妒；黛絲德蒙娜代表純真善良；另一傢伙，伊阿古，代表惡。黛絲德蒙娜當眾辯白愛英雄一段，非常精彩。伊阿古說壞話的技巧之高超啊，黛絲德蒙娜至死不明真相，死而無怨（華格納少時寫悲劇，發現全部殺光了，只好鬼魂上場）。愛與死是最接近的，最幸福與最不幸的愛，都與死接近。

不三不四的愛，倒是和死不相干。

《馬克白》（*Macbeth*），現在變成說是「心理劇」。非常陰慘恐怖，把女性惡表現得淋漓盡致。五十年代我在上海浦東高橋教書，寒暑假總有杭州來的學生住我家，伙食包在一家小飯館。飯館老闆娘陰一套陽一套，我們吃足了虧，我就說，這是飯館裡的馬克白夫人。大家譁然大笑——給惡人定性定名，給善人一種快感，看透一個惡人，就超越了這個惡人。莎士比亞寫出這惡，寫到剝皮抽筋的快感。

《李爾王》（*King Lear*）是個家庭倫理的悲劇——啊呀！莎士比亞總是把事情

弄大——寫嫉妒，弄到奧賽羅那麼大，寫惡，弄到馬克白那麼大……天才兩條規律：一是把事情弄大，一是把悲哀弄成永恆——但這僅僅是李爾王一家的倫理關係嗎？不，是人性的基本模式。現代中國、現代美國，多的是這種模式的翻版，而且愈翻愈糟。現代李爾王只有大女兒二女兒，代表正氣的小女兒死了，不再復活，絕版了。

人世真沒意思，因為真沒意思，藝術才有意思。

《哈姆雷特》是莎翁所有名著中最大的一顆明珠、寶石。全世界文學名著少了《哈姆雷特》，不可想像。凡生於莎士比亞之後的文學家，都再三熟讀《哈姆雷特》——中國例外。

到了老年，莎士比亞似乎把鬱結心中的哲學觀點都放到丹麥王子形象上，但仿佛都是哈姆雷特而不是莎翁所言。你們看原作，哈姆雷特和人的對白，與他自己的獨白，完全是兩種辭令語調，這是劇作者莎士比亞在遙控。是莎士比亞與哈姆雷特血肉相連，但又離得很遠，遠遠地「遙控」。

許多作家喜歡死乞白賴地賴在角色身上，喜歡靠角色來說自己的話——用這個準則對照大批著名文學家，也不例外。可是莎士比亞、普希金、杜思妥也夫斯基、福樓拜、斯湯達爾、哈代、巴爾札克，從不和劇中人發生曖昧關係——哈姆雷特是莎士比亞的精神上的兒子。可是這位父親一點不通私情，冷靜看他兒子表演。

哈姆雷特是個悲觀主義者，但卻是享樂主義者，是個思想者，不肯行動，覺得「我在思想裡已做過一回了」。一個思想過度的人，行動非常軟弱。

許多人不死，拖拖拉拉活下去，因為在思想上已經死過了。我要是續寫《紅樓夢》，會讓賈寶玉拖拖拉拉活下去。

《哈姆雷特》其中有個最壞的叔叔，他卻不多寫。後來我懂了，有個象徵即可，不必多寫。整個古堡陰沉，唯奧菲莉婭（Ophelia）的死是明豔的一筆，白色和綠色。

思想多而行動少——悲觀而享樂，最吸引女性。但愛上這種人，注定悲劇，不會有結果——林黛玉愛上一個賈寶玉。

而他寫到霍拉旭，真是偉大。哈姆雷特這個人，身邊一定得有個霍拉旭這樣的人。哈姆雷特對任何人說話都不正經，挑剔，疙瘩，唯對霍拉旭句句實話，心照不宣——不是霍拉旭偉大，不是哈姆雷特偉大，是莎士比亞偉大。

歐美人喜歡狗，我喜歡霍拉旭。
中譯莎本，我以為最好的是朱生豪，譯成全集。

第32講

十七世紀英國文學、法國文學

彌爾頓 《失樂園》 班揚　巴斯卡　莫里哀　拉辛

1990.10.(缺日)

彌爾頓四十歲時，眼睛不好，四十三歲瞎了——荷馬也是瞎子，貝多芬是聾子——他厲害，目盲後創作更盛，口授，寫成《失樂園》。

約翰·班揚，在英國文學史極有名，代表作是《天路歷程》，論者認為讀者會流淚。我讀了，沒有眼淚，入不了天路。我以為是成年人的童話，不過寫得很有實感，對我，我不取，如成年人用奶瓶喝奶。

巴斯卡是十七世紀法蘭西一枝偉大的蘆葦。可惜這枝蘆葦思想得太少了。他也俏皮：「假如克麗奧佩特拉的鼻子短了一點，整個世界史就要重寫過了。」

希伯來思潮、希臘思潮

原來準備兩講，現在合併，要講兩個國家一百年間的文學，講二十四個文學家。比起來，英法兩國，應是十七世紀法國更昌盛一些，英國實在也不差。按理十七世紀整個歐洲文學是停頓的，但照樣天才降生。

天才降生在哪裡，哪裡就出藝術。

那時的德、意、西班牙，一片沉寂，沒有天才。但英法有天才。

讀歐洲歷史，別忘了兩種思潮：希伯來思潮、希臘思潮。

希伯來思潮以基督教為代表，注重未來，希望在天堂，忽略現世，講禁欲。組織上教會統治一切；希臘思潮以雅典文化為代表，講現世，享樂，直覺，組織上講自由民主。現在東歐大變，是換了一種形式的希臘思潮。

始終是兩種思潮消長、鬥爭，或隱或現。我看人類世界也就是這兩種思潮的鬥爭。

英國，希伯來思潮主流。文藝復興後，希臘思潮沒有完全得勝，兩者並存。

英國多清教徒，是新教的一派，反舊教、國教而起。舊教重形式、崇拜。新教以清純簡單為立教之本，基督教堂非常樸素。新教是民間的，老受壓迫，有人移民到荷蘭，也有人移民到美國。美國即新教徒建立起來的。

西方文藝復興偉大的藝術家都是異教的，是廣義的新教精神的體現。取舊材，表達自己的藝術觀念，我以為是假借名義，比直接發揮更大膽。

米開朗基羅的雕刻《大衛》，是古代以色列王，他弄成男性裸體美，當時何等大膽，不得了的大事。莎士比亞也異教得厲害，在清教徒看來，大逆不道。

當時詩人被看成魔王，達文西被同代人看成巫士，路人見他，會將孩子拉回家。連他的學生也懷疑他，以致有吊死、摔死、發瘋的學生。千萬別做偉大天才的學生。

聽我講課，保證諸位不發瘋，不自殺，不跌斷腿。出賣呢，我不值三十個Dollar。

而且我不來單方面宣揚希臘思潮或希伯來思潮。兩種思潮不是誰贊成誰，是並存的，不可能消失。我傾向於希臘思潮得勝，不希望希伯來思潮再統治這個世界。

十七世紀英國文學及作家

先講所謂信仰。聽起來，信仰是宗教事，其實信仰是廣義的，政治信仰和宗教信仰，是同源的。一神論，在政治上表現為領袖崇拜，尊為神，史達林、金日成，總要信仰集中在一個人身上，集一切權力。神、皇帝、領袖，是行使權力的基點，都很脆弱，禁不起一點思考的餘地，必須愚民，愚民的後果，我們都看到了。現在還要「堅持」，堅持的意思，就是總要倒的。

凡一種信仰，強制性愚民，一定階段後，民會自愚。這現象不僅是當代，人類本身如此：自愚，而後愚人。

波提切利（Sandro Botticelli）把自己的畫送到宗教裁判庭上去燒。中國「文革」，這種惡例更多。英國有詩人將自己的詩作當眾燒掉——幸虧被朋友搶了下來——早就有這種事了。

十七世紀的赫里克（Robert Herrik，一五九一——一六七四），自然美，生命美，寫在詩裡——他在信仰上是教會詩人，文學上是自然美的詩人，雙重人格，兩種思潮並存（據說阿爾卑斯山春季奇美，教士走過，就不看）。

比他更可愛的洛夫萊斯（Richard Lovelace，一六一八—一六五七），美男子，騎士，招清教徒恨，判他死刑。死前在獄中寫詩，死時才四十歲。下面是他在獄中寫的幾句詩：

石牆不能就是監獄，
鐵窗也不能成為籠子；
沉靜的心靈，
視這些為一所隱居之屋。

我理解這種心情。我在獄中時，看見五十六個男人睡熟了，心想，好，大家統統釋放了，出獄了——早晨醒來，大家又在牢裡了。

兩種思潮在同一時、同一人身上並存，有為之而死，有為之而留存文學。

我更喜歡伯頓（Robert Burton，一五七七—一六四〇），散文一流。有一書名《憂鬱的解剖》（*The Anatomy of Melancholy*）。他文中常接引「古人說」如何如何，其實是他自己寫的。這辦法很有趣，我也要用，捉弄那些以博學著名的人。

英國人日常口語中常帶伯頓的熟語：

矮人在高人之肩上更高。

鞋匠赤腳走路。

便士聰明，英鎊糊塗。

鴨子從前都是天鵝。

上帝有殿堂，惡魔也有住宅。

托馬斯·布朗（Thomas Browne，一六〇五—一六八二），文字俊美，雕琢得玲瓏剔透，難讀難懂。

但上述都只能歸入二流。

十七世紀只出一位大天才：彌爾頓（John Milton，一六〇八—一六七四），西方視他和莎士比亞齊名，最有名是《失樂園》（*Paradis Lost*），寫亞當、夏娃逐出伊甸園之後的情形。中國很早就有彌爾頓《失樂園》全譯本，我讀後，不覺得很好，後來，我的侄女婿是彌爾頓專家，談了三夜，覺得懂了。要問，問了才懂。

每一行彌爾頓的詩，都能看出他的性格。我心裡長久記著他的這句話：「每一行都要表現自己的性格。」這是我終生追求的，是詩人、畫家、音樂家的格言。你把梵谷、塞尚（Cezanne）的畫割開看，照樣筆筆梵谷，筆筆塞尚。大藝術家莫不如此。

潘天壽「文革」時寫檢查，貼出，第二天就被人分塊盜走——字寫得好呀。

彌爾頓，四十三歲目盲，口授，寫成《失樂園》。

我猜有人心裡要問，說不出口，我來代說吧：「那麼，怎樣才能做到每一行都有自己的性格呢？怎樣才能每一筆畫出性格呢？」這樣問法，其實已經很難寫出性格了。

要不落俗套。有小俗套、大俗套，後者是別人的風格，對你就是俗套——別人的雅，就是你的俗。

《失樂園》，是亞當、夏娃「犯錯誤」，「掃地出門，下放勞動」。老題材。題材不重要的。重要的是什麼？技巧、形式、情操？都不是，最重要的是藝術。

這不是回答——但「藝術上什麼是重要的」，不能是一個問題。我總是拿不是回答的回答，對應不是問題的問題。

彌爾頓寫《失樂園》，不寫上帝，寫魔鬼撒旦，一點點情節，寫了頭四卷。後來亞當見夏娃吃了毒藥後要受罰，於是他也吃，這是《聖經》沒有的，彌爾頓自己添的。還說：「男人是為了女人犯罪的。」

彌爾頓四十歲時，眼睛不好，四十三歲瞎了——荷馬也是瞎子，貝多芬是聾子——他厲害，目盲後創作更盛，口授，寫成《失樂園》（阿根廷文豪博爾赫斯盲目後，說：「我得救了。」）。彌爾頓活到六十六歲。《失樂園》被認為是荷馬、維吉爾之後最偉大的史詩。

另有清教徒詩人馬維爾（Andrew Marvell，一六二一—一六七八），彌爾頓的朋友，善寫自然。還有詩人沃爾頓（Izaak Walton，一五九三—一六八三），也尚自然，自小在上流社會，晚年退居田園，有四十年時間事寫作，名作是《釣客清話》（*The Compleat Angler*）、《傳記》（*Lives*）。

約翰·班揚（John Bunyan，一六二八—一六八八），在英國文學史極有名，代表作是《天路歷程》（*The Pilgrim's Progress*），論者認為讀者會流淚。我讀了，沒有眼淚，入不了天路。我以為是成年人的童話，不過寫得很有實感，對我，我不取，如成年人用奶瓶喝奶。寓言文體。他是補鍋匠出身，自學，當兵，結婚，受洗，傳道中漸有名聲。違法後入獄，十二年獄中讀書思考寫作，等於領了十二年獎學金。《天路歷程》即成於獄中。據說除了《聖經》，是世上讀者最多的。我看是通俗讀物。

此外還有塞繆爾．佩皮斯（Samuel Pepys，一六三三—一七〇三）、約翰．伊夫林（John Evelyn，一六二〇—一七〇六），兩人都以日記成名，受塞萬提斯影響，可說是唐吉軻德的後繼者。約翰．德萊頓（John Dryden，一六三一—一七〇〇），據說讀他的書放不下來。我沒讀過，沒有意見。

十七世紀法國文學及作家

法國十七世紀：巴斯卡、笛卡兒、高乃依、莫里哀、拉辛、拉封丹。

我們到法國去，先碰到巴斯卡（Blaise Pascal，一六二三—一六六二）。在座大概只有一半人知道巴斯卡，但凡西方著名作家、思想家、科學家，總會在一生作品中提到幾次巴斯卡。

也是一個法國詹森主義者（Jansenism），世界文豪中身體最壞。嚴格說來，他是數學家，也是計算機的「發難者」——以他的「程式」、「原理」——其次他才是文學家，或曰思想家。

他文體很好。搞運動的人找我，我對他們說，你們要學文學，否則你的話不動聽。諸子百家，個個是文學家。

巴斯卡說：「人是一枝有思想的蘆葦。」少年時一讀到，心就跳。原話是：「人是一枝蘆葦，自然界最脆弱的生命，不過是一枝會思想的蘆葦。」許多大人物在書首引這句話。托爾斯泰《天國在你心中》（*The Kingdom of God is Within You*）書首，即引此句。看完後，我覺得還是巴斯卡這句說得好。

看到他的《思想錄》（*Pensées*）後，大失所望，全是新教徒的思想。他應是神學家，這類智者，都被宗教催眠。神學更是宗教的催眠（我們開了幾十年的會，哪裡是改造思想，全是催眠）——所謂催眠，就是我的意志控制你的意志——這催眠的力量，在西方非常大，再聰明的科學家、文學家也受催眠。可是大思想家在催眠中，有時會醒來片刻，說出千古不朽的話。

這些話，教會要看懂了，大逆不道，但巴斯卡居然被放過了。在我們那裡，會放過嗎？巴斯卡《思想錄》厚厚一本，真有價值的句子湊在一起，不滿兩頁。

巴斯卡，說：「人是一枝蘆葦，自然界最脆弱的生命，不過是一枝會思想的蘆葦。」許多大人物在書首引這句話。

就憑這兩頁，巴斯卡感動了全世界。

這情形，我定名為「巴斯卡現象」。

後來證明，他的思想都是通過文學留下來的。神學家不理會他的文學，放過了。文學家也只注意他的警句，不在乎他的神學思想——那些句子夾在神學思想中，沙裡淘金，才能留下來。

蘇格拉底、柏拉圖、亞里斯多德，都在大量荒謬的包藏中，出現一點點真知灼見。

與此相反，中蘇革命年代的學者和思想家都沒這現象。連上智者也被整個兒催眠，沒有清醒的片刻——真的智者、思想家，不能明爭，懂得暗鬥。蘇俄的索忍尼辛、捷克的文學家，就懂得。

巴斯卡天性非常好，文筆清如水，我永遠尊敬他。剛才那句話像誰的口氣？像耶穌。「你們到田野裡看什麼？看蘆葦嗎？看先知嗎？他比先知大得多了。」

他還說：「人只有靠思想才能偉大。」

從宗教立場講，反動透頂。

但巴斯卡想到這裡，就停下了。另一句，很真切，直刺人心：「那無限空間的永久沉默，使我恐懼。」——這是老子的東西嘛！

直刺到最基本的一點：人和宇宙是這樣一種關係。是最初與最後的關係。悲傷也沒有餘地，因為有情（人）無情（宇宙、上帝、神）沒有餘地，故謂恐懼。

巴斯卡是十七世紀法蘭西一枝偉大的蘆葦。可惜這枝蘆葦思想得太少了。他也俏皮：「假如克麗奧佩特拉（Cleopatra，「埃及豔后」）的鼻子短了一點，整個世界史就要重寫過了。」

後來他的思想被人發展：人是靠思想這個東西和宇宙對抗的。宇宙大，人小，人知道。宇宙無情，人也知道，這都是人厲害的地方，人類最可寶貴的是這一點。

這是個偉大的數學家，虔誠的神學家，又是個優秀的文學家、思想家。

高乃依（Pierre Corneille，一六〇六—一六八四），和巴斯卡正相反，生性浪漫，脾氣大，情緒不平穩。和莫里哀是朋友，請莫里哀評論，莫里哀說：「他是由魔鬼驅使寫作的，魔鬼不在時，就寫得不好了。」著作《熙德之歌》（*Le Cid*），有中譯本，寫得堂皇，大起大落。

笛卡兒（René Descartes，一五九六—一六五〇），哲學家，在法國文學史上有自己的地位，散文樸素流利，但應以哲學家對待他。

接下來是大人物了。莫里哀（Molière，一六二二—一六七三），等於是法國的莎士比亞。本名波克蘭（Jean-Baptiste Poquelin），叫不響，改藝名莫里哀。其實十七世紀亂世，沒人熱中看戲，他們的演出都不成功不順利。出巴黎巡迴演出，也很艱辛。他以殉道精神事戲劇：沒人看，我要好好弄。他演喜劇，他的脾氣非常好，寬容大度，美男子，身材高，膚皮棕色，眉濃黑，同代人都承認他是一位偉大的喜劇演員和天才劇作家。

莫里哀，等於是法國的莎士比亞。他的劇本影響法國日常用語，比任何法國文學家大。

劇作《偽君子》（*Tartuffe*）、《孤獨者》（*Le Misanthrope*）、《裝腔作勢》（*Les Précieuses Ridicules*）、《沒病找病》（*Le Malade Imaginaire*）。嘲笑的，不憤怒的，覺得好人壞人都是人。

我喜歡推到極端的偏激的藝術，也喜歡寬容大度的藝術。

莫里哀一生活得不愉快，唯法國太陽王路易十四曾給他撐腰，最後莫里哀死在舞臺上。他的劇本影響法國日常用語，比任何法國文學家大。這種語言的實際影響和功勞，如但丁之於意大利，塞萬提斯之於西班牙，莎士比亞之於英國。

拉辛（Jean Racine，一六三九—一六九九），也是大人物。從小在修道院受教育。長大後，親戚都不喜歡他，看不起。因異端思想之詩被趕出教會。第一個劇本為莫里哀劇團上演，莫里哀還親自飾演主角。上演兩週後，拉辛又把他的劇本給了一個反對莫里哀的劇團去演，顯然兩人關係失和了。天才難得在同一時代出現，一同出現，又合不來。

拉辛，劇本《費德爾》，天才女演員都想演費德爾。

我最喜歡拉辛的劇本是《費德爾》（*Phèdre*），寫一位身心狂熱的女人，臺詞非常有震撼力。世上每一位天才女演員都想演費德爾，每個天才男演員想演哈姆雷特。

此後擱筆，活二十年，得享尊榮，靜度晚年。

拉辛脾氣很壞，多心、善嫉、易怒，沒有接受批評的雅量。不過天才高低最重要，我可以到莫里哀家做客，在戲臺上看拉辛的作品，脾氣壞，不要緊。

拉封丹（Jean de La Fontaine，一六二一—一六九五），他的太太讀書太多，不善家務，離婚。他把動物寫得和人一樣，驢、狼、兔、狐，說人話，通人情，做人事——但還是動物。

夏爾·佩羅（Charles Perrault，一六二八—一七〇三），很有趣，甘居二流，專事搜集民間作品，再自己寫一遍，《美人魚》、《藍鬍子》、《小紅帽》、《美女與野獸》，都是作品有名，他無名——我的警句來了：藝術家做不了主，藝術會做主。

以下的介紹，開點快車：

布瓦洛（Boileau，一六三六—一七一一），絕頂機智，有人稱他近代賀拉斯。

塞維涅夫人（Madame de Sévigné，一六二六—一六九六），以書信著稱，西方以她的書信為課本。

拉布呂耶爾（Jean de La Bruyère，一六四五——一六九六），悲觀主義者，諷刺當朝大臣：把臉向著國王，把背向著上帝。

弗朗索瓦·費奈隆（François Fénelon，一六五一——一七一五），《給男人的信》、《給女人的信》，極有名，德國人尤其喜歡。

拉羅什富科（La Rochefoucauld，一六一三——一六八〇），冷酷，重實際，以格言著稱。引幾則，算是這堂課的結束：

哲學很容易戰勝過去與未來的罪惡，但現在的罪惡卻很容易戰勝哲學。

老人總願勸告別人，藉此安慰自己已不做壞榜樣了。

我們對自己的好行為感到害羞，如果天國證明了我們的動機。

沒有人真是像他們自己所想像的那麼幸福和不幸。

第33講

中國古代戲曲（二）

《牡丹亭》《鳴鳳記》馮夢龍《燕子箋》徐渭　金聖歎

1990.11.2

《牡丹亭》流傳之廣，影響之大，可與《西廂記》媲美。《牡丹亭》甫寫畢，有婁江女子俞二娘讀後，大感動，病而死。杭州有美女馮小青，鬱鬱而死。

錢謙益、吳偉業，可說是清代文學的祖宗，又處於改朝換代間。可是政治上有衰落、敗北、滅亡、改朝，文學上沒有，文學是連綿生息的。皇帝會被推翻，科學定律可以否定，文學藝術沒有推翻這回事。

這一期戲曲，大家一定很陌生，幾乎不知道。作為文學史，不能陌生不講，陌生更要講，講了就不陌生了。

從元朝講到明末。

中國文體的變遷，有各個階段，秦文、漢賦、唐詩、宋詞、元曲、明傳奇，這個概念值得品味（不是唐朝無文無詞，但確實以詩為主）。現在講的戲曲，以元為主，接明朝。

當時四大傳奇，「荊、劉、拜、殺」（《荊釵記》、《白兔記》〔編按：全名為《劉知遠白兔記》〕、《拜月亭》、《殺狗記》），那是為民間娛樂寫的。曲文（唱詞）和賓白（說辭、旁白）用的是民間的慣語，人人能懂。但不能滿足文士，因此劇作者另找趨向，走文學的路，使戲文、賓白雅，以駢儷文出之（也稱駢四儷六、駢體文，盛行於唐代，漢賦裡已有因子）。《浣紗記》、《祝髮記》，通篇沒有一句散語，全是對句。

劇本從民間語言轉為文人辭藻，又好，又不好。好，是雅致了，不好，是減弱了文學的元氣。

我們要講人物。構成文學史，不過是幾個文學家；構成美術史，不過幾個美術家而已。

最偉大的戲曲家，是湯顯祖。他應該成為中國的莎士比亞，可惜沒有成。另有鄭若庸、屠隆、梁辰魚、張鳳翼、王世貞、沈璟、陸采、徐復祚、梅鼎祚、汪廷訥，後又有阮大鋮、尤侗、李漁、李玉。

湯顯祖、《牡丹亭》

湯顯祖（一五五〇—一六一六），江西人。萬曆癸未年（一五八三）進士，官至禮部主事，因上書皇帝批評宰相，不受，下放廣州一處做小官，後再做縣官。窮，老不如意，住「玉茗堂」。「窮老蹭蹬，所居玉茗堂，文史狼藉，賓朋雜坐，雞塒豕圈，接跡庭戶。蕭閑詠歌，俯仰自得。」

代表作《牡丹亭》（後來的昆曲折子戲《遊園驚夢》即出於此），還有《南柯記》、《邯鄲記》、《紫釵記》，合稱「玉茗堂四夢」。所作詩文，後稱《玉茗堂文集》，其中最好看的是書信，文字精妙，情理並茂，非常感人。

論戲曲，那時無人可與之比肩。上比，可與高明《琵琶記》等較量，下啟，可與阮大鋮《燕子箋》等一論。《牡丹亭》流傳之廣，影響之大，可與《西廂記》媲美。

《牡丹亭》甫寫畢，有婁江女子俞二娘讀後，大感動，病而死。杭州有美女馮小青，鬱鬱而死。有詩曰：

冷雨幽窗不可聽，挑燈夜讀《牡丹亭》。
人間亦有癡於我，豈獨傷心是小青？

我說，這是女子的「維特之煩惱」。我欣賞另外一種傳說：《牡丹亭》試演時，當時有玉蘭樹久不開花，絲竹管弦起時，滿樹齊開花——這種傳說，真的，也好，假的，也好。

《牡丹亭》有五十五齣，寫杜麗娘和柳夢梅的戀愛。南安太守杜寶，假稱杜甫後代，有女兒麗娘待嫁。春日午後麗娘在花園玩，回房後春睏，睡著，夢中見書生柳夢梅，托為柳宗元的後代，兩人戀愛婚好。醒來後得相思病，麗娘自覺好不了，就畫自畫像（古人畫像都不像的），畫完就死了。

柳夢梅確有其人，一日見此畫像，驚為天人，供奉畫像，與之對談。不久，杜麗娘鬼魂來了，相愛。柳夢梅開棺取杜麗娘，麗娘復活，成婚，且柳夢梅終於考中狀元。

從前的戲，看不到考狀元，不肯散的。情節是俗套的，但成就是文學的。《西廂記》後，《牡丹亭》居第一。

原來姹紫嫣紅開遍，
似這般都付與斷井頹垣。
良辰美景奈何天，
賞心樂事誰家院？

前有《牡丹亭》，後有《紅樓夢》，曹雪芹也讚美，借寶黛之口，竭力稱讚。這種情致，現代青年不易共鳴。我少年時家有後花園，每聞笛聲傳來，備感孤獨，滿心欲念，所以愛這兩句「良辰美景奈何天，賞心樂事誰家院」。

總之，湯顯祖是極多情的——藝術家是什麼呢？現實生活中用不了的

湯顯祖，最偉大的戲曲家。

熱情，用到藝術中去。藝術家都是熱情家，熱情過盛，情種如歌德、華格納，也還是把最濃的情用到藝術中去。湯顯祖自己在書信中有言：

智極成聖，情極成佛。

中國古代是知道的：佛比聖高。聖是現世的，佛是超脫的。歷來所謂紅學家幾沒有以湯顯祖這句話觸及《紅樓夢》研究。

讀湯顯祖的信，可見其豪爽而溫茂。他很自信，也很幽默。我稱這種人是「通情達理而脾氣很壞的人」。

湯劇的意義是，情真，可以只是夢見，情癡，死人可以復活。五十五齣中，以〈驚夢〉、〈寫真〉、〈魂遊〉、〈幽媾〉、〈冥誓〉、〈回生〉諸齣為精華。古代中國少女的情感總是抑鬱不宣，湯顯祖大膽而細膩地呈現，故歷來少女愛讀《牡丹亭》。

《南柯記》根據唐人傳奇〈南柯太守傳〉改編，加些情節。《邯鄲記》根據唐人〈枕中記〉改編。《紫釵記》也根據唐人〈霍小玉傳〉改編，不如唐人傳奇好。

上次我講唐人傳奇，特別推重〈南柯太守傳〉、〈枕中記〉、〈霍小玉傳〉，湯顯祖正是取了這幾則素材。每當碰到這種「所見略同」，很快樂，北京話是叫做「咱倆想到一塊兒去了」。

湯顯祖的唱詞，常有很難唱的句子，唱者得改了才能上口。他很怒，說：我寫的東西，不妨將天下人嗓子拗折。很霸道，很可愛。華格納也有些作品不能演奏，得指揮改編後才好上演。

任性，要看任什麼性。偉大的性，要任，大任特任。音樂家最任性的是貝多芬，樂譜中常標出：「必須這樣！」畫家中最任性的是梵谷。哲學家中最任性的是尼采。

但話要說清楚：先要通情達理。所謂情，是藝術的總量，理，是哲學的目的。你不通不達，是個庸人；既通又達，充其量二流三流——我所謂通情達理，是指這個意思。如果你自問已夠通了，夠達了，那就試試任性吧。

《鳴鳳記》、《獅吼記》、《鸞箆記》及其他

王世貞（一五二六－一五九〇），有說《鳴鳳記》是他所作。他不寫古代題材，只寫他的時代的事。當時大奸臣嚴嵩及其子嚴世蕃，父子兩人專權誤國。有一楊繼盛上疏指責，為嚴氏父子陷害入獄，終死於東市，妻同殉。後又出忠臣鄒應龍等，再上書彈劾嚴嵩，終於把嚴嵩扳倒，楊繼盛因此在明史上得美名。

相傳王世貞此劇寫於嚴嵩垮臺後，馬上上演。演員認識嚴、楊二人，演來唯妙唯肖，大轟動。

《浣紗記》敘範蠡與西施之事。妙在範蠡和西施本是情人，有婚約，為了復國才抑制私情，架構了美人計。文詞極美，故流傳四方，尤其在蘇州一帶，年輕人都會唱《浣紗記》。

鄭若庸，約一五三五年前後在世。早年有詩名，後寫戲曲《玉玦記》。其中一段故事有趣，寫婊子薄情，很真實，很成功，致使當時妓院斷了生意。妓鴇請

別人寫妓女有義的劇本，遂使生意又好起來。

這正是王爾德所云：人生模仿藝術。

明人多取唐人傳奇，說明明人創作力不夠，沒有大靈感。其餘劇作家取自唐人傳奇的，多弄糟了原作，小靈感害了大靈感。

沈璟（一五五三—一六一〇），他把武松弄了個老婆，好好一條漢子就此完了——武松好，好在單身。

汪廷訥（一五七三—一六一九），他倒奇怪，寫了個怕老婆的故事《獅吼記》。寫蘇軾之友陳季常害怕老婆，其妻柳氏善妒，蘇軾設計贈以家姬，後以佛印禪師降伏了號為河東獅子之柳氏。這倒是難得的喜劇，情節對白很風趣，人物逼真，流傳廣。從前諷人怕老婆，曰：「貴公有季常癖乎？」

還有一位顧大典，生卒年不詳，寫《青衫記》，寫白居易，也是小靈感害大靈感，把「商人婦」寫成白居易情人。這種改編很討厭。

王世貞，只寫他的時代的事。

中國民族有個偏好，什麼呢，喜歡「作美」。職業媒婆多，業餘媒婆更多，這種民族心理很奇怪。

葉憲祖（一五六六—一六四一），《鸞篦記》把溫飛卿（溫庭筠）和魚玄機（道姑）作美，拉在一起。中國人愛這種團圓、狀元、作美，是想把一切都當場在劇院裡了結。西方不肯了結，帶回家。西人強，中國人弱。

明末，有馮夢龍，有阮大鋮，是大家。

馮夢龍（一五七四—一六四六）的功勞在編纂三部書《警世通言》、《喻世明言》、《醒世恆言》（短篇小說集），改編傳奇十多種，功不可沒。

阮大鋮（一五八七—一六四六）著有《燕子箋》，霍都梁赴京會試，戀名妓華行雲，為她畫像，把自己也畫入，然後付裱。同時，禮部尚書的女兒亦將吳道子畫的觀音送去裱。結果兩卷裱好送錯了門，霍都梁的給了尚書女兒，她的容貌與畫中人極像，可旁邊站個陌生男人，而且非常俊秀，題款是「茂陵霍都梁寫贈雲娘妝次」。那小姐名叫酈飛雲，更覺奇了，春日作詞，詠歎此事。詞箋為燕子銜去，恰巧落在霍都梁手裡。後經戰亂、失散，結局是一個飛雲、一個行雲，都做了霍都梁的妻——《燕子箋》好在文詞精美，後來孔尚任在《桃花扇》裡也讚賞了一番（《牡丹亭》、《燕子箋》、《桃花扇》，從前每家必備）。

清兵入關，殺人如麻，戲臺寥落。平定局面後，劇作家又出來，有尤侗、李漁、吳偉業。

吳偉業（一六〇九—一六七二，又名吳梅村），代表作《秣陵春》，情節離奇，有特殊意義。作者在序中說：「是編也，果有托而然耶，果無托而然耶？余亦不得而知也。」

這是藝術家的態度，不能講老實話，要守住分寸，真正的話不能說。

吳偉業，清代文學的祖宗之一。

尤侗（一六一八—一七〇四），反當時潮流，不肯寫才子佳人，是個批判現實主義者，諷刺打擊當時權貴。時人有云，凡尤侗劇「登場一唱，座中貴人未有不變色者」。

李漁（一六一一—一六八〇），號笠翁，寫過約十六種劇作，文字綿密，結構適當，惜格調不高，太通俗。有散文集名《閒情偶寄》，主要談演戲應該怎麼演，非常內行，連怎樣燒飯煮菜，都能寫得娓娓動人。他多才多藝，有時走偏鋒，走得玩世不恭。

再單獨講講徐渭（一五二一—一五九三），字文長，畫、詩、字，怪，可劇本不怪。有四種，總稱「四聲猿」，其實四個本子各不相干。第一本寫禰衡擊鼓罵曹（《狂鼓吏漁陽三弄》）。第二本寫玉通禪師破戒而投胎，後淪為妓女（《玉禪師翠鄉一夢》）。第三本寫木蘭替父從軍（《雌木蘭替父從軍》）。第四本寫黃崇嘏女扮男裝中狀元（《女狀元辭凰得鳳》）。

發揮一下：風格是一種宿命。

徐文長字怪畫怪，劇本不怪，反倒不好了。叫梵谷畫工筆，完了。希臘人說：認識你自己。對藝術家，還有一句潛臺詞：認識你自己的風格。

一說：恨不早生三百年。給人說了。

我說：幸虧晚生三百年。古人忘說的，我來補說。

有人或在心裡說，認識自己的風格有何難？希臘人知道，認識自己最難。畢卡索完成藍色、粉紅色（玫瑰）時期，認識自己了嗎？等他看到黑人木雕，醒了過來。貝多芬到《第三號交響曲》，才是自己。

認識自己的風格，是大幸事，很多人一輩子不曾享受這種幸事。但找到後能否成功，還難說。

楊慎（一四八八—一五五九），號升庵，才華高邁，著作浩繁。有三劇本。

王夫之（一六一九—一六九二），即王船山。寫過一劇。

以上兩位都是大學者，可見當時文人都寫一手劇本，如唐人都作詩，宋人都作詞，有那麼一種集體潛意識。這種潛意識在漢文化一直流到清末，斷了，沒有了。

這種既傳統又發展的集體潛意識到「五四」斷層，其嚴重性，是個思考題。

詩人、散文家

現在轉向明朝的詩人和散文家。

戲曲是主流，詩和散文是冷落的。有的荒疏，有的古怪。到明末有兩位大人物出，錢謙益、吳偉業，風氣為之一振。他們的文風可以四字概括，晶瑩渾厚，開之後二百年文字局面。上海研究明史的人不少，你們回去要禁得起問。

永樂年間有臺閣詩人楊士奇、解縉、楊溥、楊榮。弘治、正德年間有李東陽的「茶陵派」。這一派提倡崇拜杜甫，擬古，當時有正本清源的效果。

永樂之後，另有李夢陽、何景明、徐禎卿、邊貢、康海、王九思、王廷相，世稱「七子」，號召回復秦漢文章，回復盛唐的詩風。

後來民間所熟知的，是唐伯虎（寅）、祝枝山（允明）、文徵明。他們的詩文都放逸不居。民間傳說他們放蕩、無賴，其實不全是。唐伯虎是很正經的人。三人字畫都非常好，唐伯虎的畫神秀、秀潤，近乎拉斐爾。

「七子」之後，又有「七子」：李攀龍、王世貞、謝榛、宗臣、梁有譽、徐中行、吳國倫，均復古派。七人不團結，分裂，去兩人，成「五子」，又有「廣五子」、「續五子」，其實平平之輩。

最後有「末五子」，超過「前七子」與「後五子」。沒有排入「七子」、「五子」的大人物還有：唐順之、王守仁（即王陽明）、王慎中、楊慎、徐渭。

王陽明，創良知之說，是個體系，影響滿大的，不論對不對，有功勞。其詩文不依傍古人，然格律嚴整。王慎中，文章淡永條達（韓愈評柳宗元「俊傑廉悍」）。唐順之，善擬唐宋風格。楊慎，素以詩名。徐渭已講過，十足的天才，齊白石願做「青藤門下走狗」，就是指他。

「七子」、「五子」盛極一時間，還有歸有光、茅坤。

歸有光文章有司馬遷、韓愈、柳宗元、歐陽修之風。茅坤，所謂「唐宋八大家」（韓愈、柳宗元、歐陽修、蘇洵、蘇軾、蘇轍、王安石、曾鞏）就是茅坤首先提出來的。

平時讀點中國舊書的人，總會碰到所謂公安體、竟陵體，趁此解釋一下：

明末，有袁宏道，與兄袁宗道，弟袁中道，著名於世，號稱三袁，其文體奇詭，因為是湖北公安人，故標榜為公安體。

鍾惺、譚元春，並馳文壇，都是竟陵人，故名竟陵體。

上次丹青說，在加州遇到一臺灣女士，是桐城派後裔。丹青問：什麼是桐城派？我講了，現在丹青恐怕又忘了（丹青：完全忘了）。那是清代方苞、劉大櫆、姚鼐等構成的學派，主張為文簡嚴整潔，中規中矩，是清代古文的正宗，因地點是安徽桐城，故號桐城派。這個派早就絕種，民國還有人標榜桐城派，被魯迅罵了一通。上次我在哈佛大學遇見一個年輕學者，標榜桐城派後裔。

明將末，還有幾位大師，要稍細講。

錢謙益、吳偉業，可說是清代文學的祖宗，又處於改朝換代間。可是政治上有衰落、敗北、滅亡、改朝，文學上沒有，文學是連綿生息的。皇帝會被推翻，科學定律可以否定，文學藝術沒有推翻這回事。

錢謙益（一五八二—一六六四），是一代宗師，清室入關，他去迎接，被後人看不起（石濤也去迎接的）。

吳偉業，特別有才氣，我評為英才天縱。二十歲即為翰林院編修（相當哈佛教授），詩作悲惋，以歌記事，稱為詩中的史家。善畫，筆端清秀，時與董其昌、王時敏等合稱「畫中九友」。

索性再講下去。

顧炎武（一六一三—一六八二），代表作《日知錄》，共三十二卷，其實是讀書筆記，我評為博贍而能貫通。每記事，詳錄本末，引據浩繁，真大學者。

黃宗羲（一六一〇—一六九五），年少時以義俠著稱，明亡後著《明夷待訪錄》，是論治國平天下的書。入清後不仕，和顧炎武、王夫之同，以氣節名高一時（王夫之更遁入深山）。

還有侯方域（一六一八—一六五四），又名侯朝宗，即《桃花扇》裡的主角侯公子。

王士禎（一六三四—一七一一），別號漁洋山人，又稱王漁洋，提倡神韻，評為清代第一大詩人。

朱彝尊（一六二九—一七〇九），號竹垞，說到清詞，必提到朱彝尊。

還有兩位滿人：納蘭性德、太清君（顧太清，道號太清）。

納蘭性德（一六五五—一六八五），完全是《紅樓夢》裡的公子哥兒。作詞綿密清婉，留有《飲水詩詞集》。我以為太陰柔，太弱。

太清君（一七九九—一八七七），人的性格好，詞不過爾爾。

顧貞觀（一六三七—一七一四），想寫什麼就能寫出來。如馬內（Édouard Manet），想畫什麼，畫出來了。

徐渭，是整個中國文學史上最奇怪的人，成就在畫，書畫實在好。

比他更狂的是金聖歎（一六〇八—一六六一），本名叫張采，後改名人瑞，字聖歎。單看姓名，知其玩世不恭。整個明文學，只有金聖歎是大批評家，入清不仕。為人傲奇，博覽多通，其文汪洋巧姿，雅俗雜糅。他說：「天下才子之書有六：一莊，二騷，三馬史，四杜律，五水滸，六西廂記。」從前把小說入才子書，是大逆不道，他照選入，領異標新，迴出意表。文字犀利快明，紆曲而能盡情，言人所不敢言、不能言。

我批評金聖歎，是他將人家原文肢解鱗割，遷就己意，使讀者沒有餘地。拿現代俗話說，還是把讀者看得太低。

歷史使人通達，哲學使人明智。

唐伯虎的畫神秀、秀潤，近乎拉斐爾。圖為民國版《唐伯虎尺牘》。

第34講

中國古代小說（二）

《西遊記》《封神榜》《金瓶梅》《今古奇觀》《聊齋志異》

1990.11.23

《西遊記》前七回孫悟空大鬧天宮，我認為是最好。中國文學史中從來沒有像孫悟空這麼一個皮大王，也沒有人這樣大規模以動物擬人化，以人擬動物化。吳承恩靈感洋溢，他不知道，不僅中國，全世界寫神話、童話的作家看了「大鬧天宮」，都要佩服的。

《金瓶梅》對婦女性格的刻畫，極為深細，近乎現代的所謂心理小說。在文學上確有特定價值，其「方法論」影響到曹雪芹、張愛玲。

《金瓶梅》呢，更容易誤解，太像性書，五個X，英國性文學大師勞倫斯看了也要張口結舌。此書最妙是淫穢下流的地方，亦暴露人性。

中國小說第二期，光輝燦爛。歷十五至十七世紀，從明建文帝到清康熙帝後半，是前後三百多年小說上的成就。

年長的中國人，必定熟知岳飛、楊六郎、薛剛、狄青、秦瓊、孫悟空……這些姓名就是那三百年間流傳開來，整個中國，家喻戶曉，一直流傳到二十世紀；到了六十年代，雷鋒同志、王杰同志的名聲，蓋過了一切。

中國文化出現很嚴重的斷層。自古漢文化從西北往東南流，到「五四」，到一九四九年，嚴重斷層。臺灣沒有漢文化，流到東南就沉澱了。現在你問中國青少年，誰是薛剛、狄青、秦瓊，怕不知所云。楊六郎也許略有所知。岳飛是被紅衛兵打倒的，直到「文革」後，岳飛和我差不多同時平了反。

不是說笑話。我們講課聽課，就是修補焊接這個斷層。

平話、說書在民間的影響

小說，是現在的詞。當時叫做「平話」，也就是「評話」、「說書」，以口語敷演故事，帶有動作，重點是說白。我小時候，說書分為大書、小書。宋時最盛行說書，平話尤盛於江南，出大師，有孔雲霄、韓圭湖等，為陳其年、余澹心、杜茶村（即杜濬）、朱竹坨所賞鑒。最有名的是柳敬亭。

柳敬亭不唯技藝冠一時，學問人品，可敬可愛，實在是評話家的祖師。人長得又大又黑又粗，大麻子，每到清夜，三五好友聽他說書，覺得他美極了。他說書，譬如講武松進酒店，大喝一聲，酒甕嗡嗡作回音，完全是發揮創造。

直到民國，說書仍然流行。我的表叔表哥下午都不在家，天天要去聽書。一九四九年前，蘇州有光裕社、上海有潤裕社，是說書集團，掌握說書界霸權，人才輩出，一般說書人登不了他們的臺。有幫會性質，也和黑社會有關係。

小時候聽說書，是文化生活一大享受。《子夜》、《家》，要是讓評話家改編、講，必定大妙。說書人懂藝術，茅盾、巴金未必懂。說書先生有所師承，「五四」沒有了師承。光裕社、潤裕社作為民間文化中心，對說書人是作教育作鑒定的。

「五四」新文學是民族文化斷層的畸形產物，師承斷了。創造社、新月派、語絲社，是臨時性同人雜誌，不成其為作育人才、指導群倫的文學機構。所謂新文化時期中國文學，匆匆過客，沒有留下可與西方現代文學相提並論的作品。

可惜「平話」也只能傳述古人的遺編，局限於市民階層的生活消遣，有局限，沒有創作。柳敬亭這樣的大師，來過一次，不會再來了，然後是八年抗日戰爭，三年國共內戰，文學藝術吵吵鬧鬧，一片荒蕪。

遺憾。我們聽不到蕭邦彈琴，也聽不到柳敬亭說書。

平話名著是講史，是那時最流行的小說體裁。《五代史平話》因從開天闢地講起，至周初，叫做《開闢演義》。《東周列國志》敘周室東遷到秦滅六國。《前漢演義》、《後漢演義》，述三國前的史實。《西晉演義》、《東晉演義》繼三國後史實，與《隋唐志傳》並傳於世。亦有《說唐前傳》、《說唐後傳》，再下來是《殘唐五代史演義》、《飛龍傳》。

舊時一般有知識的家庭，家中東一堆西一疊這類評話本，實在是中國民間的歷史教科書。我家的男傭人講得眉飛色舞，不識字的老實人聽得久了，記住了，也講得鑿鑿有據。從小野史看得多了，後來讀正史，就容易讀進去，記得住。

但必須聲明，這種平話的文筆，不行的：凡依據史實的都嫌笨拙粗疏，有所想像的，則胡天野地，非常可笑。我小時很喜歡翻這類書，覺得滑稽，以此反證自己的歷史知識。

我是給諸位添一點常識：中華民族，大而且古，人民群眾文化水準一貫低落。古代，就是靠說書人的口傳，使極大多數人保持一定程度的歷史概念——很可惜，民間社會消失了，否則會有兩條路，另一條是文人士大夫的路。

現在很多文人探討中國文化的起源、流傳、變化，沒有人提民間這條路。

平話，以單個或幾個英雄的敘述講歷史：

《精忠全傳》——宋南渡時，講岳飛一生。

《英烈傳》——敘明開國諸功臣。

《征東征西全傳》——敘薛仁貴、薛丁山、薛剛的功績。

《楊家將》——敘楊業、楊延昭（六郎）、楊宗保諸人事蹟。

《五虎平西南傳》——敘狄青蕩平諸國事。

這些書，民間影響極大，我是聽家裡大人們講的。春夏秋冬，每天晚上聽。這間屋裡在講薛仁貴大戰蓋蘇文，那間房裡在講楊宗保臨陣私配穆桂英，走廊一角正在講岳飛出世，水漫湯陰縣，再加上看京劇，全是這些傳奇故事。我清晰記得上輩都為英雄們憂的憂，喜的喜……奇怪的是，這種民間社會，《紅樓夢》一點沒有提到。《老殘遊記》、《儒林外史》，也只稍稍點到——不應該忘記這些民間文化，我將來還要說的。

魯迅他們一味反封建反禮教，大概不以為這是值得注意的命題。周作人算是愛讀閒書的，可惜忙於小玩意小擺設，揀了芝麻，忘了西瓜。他們兄弟二人對中國有愛而不知怎樣去愛，最後還是談不上愛。

這些英雄故事的感人力量，近乎西方的史詩。不過史詩有歷史真實，有藝術真實，中國歷代英雄傳多半虛構，太想入非非，成不了一流歷史小說。《三國演義》寫諸葛孔明，寫成了妖道，嚴格講，不能算「藝術」。

有一部比較傑出，叫做《隋煬豔史》，成於十六世紀，敘隋煬帝始末。材料有根有據，來自《大業拾遺記》、《開河記》、《迷樓記》、《海山記》等稗史，句句有來歷，很佩服。全書四十回，結構完密。

歷史小說是不容易寫得好。太真實，呆板無趣味（如《東周列國志》、兩晉演義）；離真實太遠，則荒誕無據（如《楊家將》、《薛家將》）。只可惜當時沒出偉大的文學家，不然可以又真實，又文學。所以講史（平話）的盛極一時，都是寶塔，沒有塔尖。塔尖在哪裡呢？不是歷史題材，而是純粹的創作：《西遊記》、《金瓶梅》。

《西遊記》——鬧上天叫人佩服

我們所見的《西遊記》，是吳承恩作百回本，但有爭論。相傳此書為元朝長春真人邱處機作，實則《長春真人西遊記》乃李志常所寫，與吳承恩的《西遊記》是不相干的。相干的是楊致和《西遊記傳》，才兩薄本，一說吳承恩放大了十倍，此說比較可靠。兩本對照，可見吳本的高超。

所以天才者，就是有資格挪用別人的東西。拿了你的東西，叫你拜倒。世界上只有這種強盜是高貴的，光榮的。莎士比亞是強盜王，吳承恩這強盜也有兩下子。想像他的性情，是個快樂人、大有趣，孫悟空的模特兒，就是他自己——你們說呢？

還有《東遊記》、《南遊記》、《北遊記》，故事變幻有趣，但文筆不濟，遠不如吳承恩的天才和功力。

吳承恩（一五〇四—一五八二），字汝忠，別號射陽山人，明嘉靖中歲貢生，做過長興縣丞，著有《射陽先生存稿》。當時以「善諧謔」（即開玩笑）出名，雜記名震一時。可惜我沒有讀過他的雜記，據說失傳了。《明詩綜》有他幾首詩，不怎麼樣。

我曾說「風格是一種宿命」，他是好證據——忽然他發現楊致和的《西遊記傳》，靈光一閃（可能拍案而起，大叫：「有了，有了！」），《西遊記》於是孕育而誕生。有了楊致和的骨架，吳承恩大展身手，找到自己，找到風格，連《南遊記》、《北遊記》的精華也拖了幾段過來（鐵扇公主即出於《南遊記》）。

《西遊記》全書一百回，前七回孫悟空大鬧天宮，我認為是最好。自第八回，唐三藏出現，猴子就正經起來，味道就差。孫悟空的成功，是寫了一個異端，一個猴子中的拜倫。中國文學史中從來沒有像孫悟空這麼一個皮大王，一個搗蛋搗上天的角色，也沒有人這樣大規模以動物擬人化，以人擬動物化。吳承恩靈感洋溢，他不知道，不僅中國，全世界寫神話、童話的作家看了「大鬧天宮」，都要佩服的。

可惜外國人看不懂，即使有好譯本，人情、習慣、典故，總是隔膜。所以，《西遊記》的妙，只有中國人懂。

吳承恩的幽默豐富，無往不利。八十一難關，關關不同，一魔一妖，一怪一仙，都各有性格，活龍活現，唐僧和三徒弟，性格畢現，絕不混淆，綜合起來，是刻畫人性。其中任何一段都是獨立的好短篇。

文學作品的命運，想想可憐，好作品，總是被誤解曲解的。歷代紅學家靠紅學吃飯，魯迅就挖苦過他們，魯迅沒有來得及論一論《紅樓夢》——他不適宜做這件事，曹雪芹的「色」、「空」觀念，魯迅排斥的——只有王國維初步觸到問題，因他用了叔本華、尼采的方法，但用得不熟練，看似哲學觀點，還是佛學觀點。

宗教這點東西，不足以講《紅樓夢》的豐富層面。宗教不在乎現實世界，藝術卻要面對這個世界。譬如：

放下屠刀，立地成佛，是宗教。

放下屠刀，不成佛，是藝術。

苦海無邊，回頭是岸，是宗教。

苦海無邊，回頭不是岸，是藝術。

宗教是面值很大的空頭支票，藝術是現款，而且不能有一張假鈔。宗教說大話不害臊，藝術家動不動臉紅，凡是宗教家大言不慚的話，藝術家打死也不肯說，宗教說了不算數，藝術是要算數的，否則就不是藝術。

藝術難，藝術家也不好意思說。

《紅樓夢》可以淺讀，可以深讀，但看到的多數是誤讀。《西遊記》的命運，可說非常成功，流行之廣，像現代的暢銷書，於是續作紛起，有《後西遊記》、《西遊補》等等，都是狗尾續貂。這也罷了，可怕的是許多後人做解釋，有說是講道的，有說是談禪的，有說是勸學的，一句句注解，一節節剖白，一部大好的文學作品就這樣肢解為道書、佛經、《大學》、《中庸》、孔孟之道——這就是中國。中國在明代就已這樣荒謬可悲。

《封神榜》——神魔仙佛較量

《西遊記》之後，寫奇幻的小說有《封神榜》、《三寶太監西洋記通俗演義》。《封神榜》，作者一說許仲琳，敘武王克殷，卻夾進神魔仙佛，不能算歷史小說。中敘商紂暴虐，狐狸化身為妲己以迷惑他，用種種酷刑殘害忠良，於是姜子牙奉師命下山輔助周武王，滅殷。過程中，許多魔怪幫助殷紂，許多神仙保佑姜子牙與魔怪鬥法，終於取勝，紂王自焚，妲己化為原形而被誅。武王入殷都，大封功臣，故稱之為《封神榜》（我們小時候叫《封神榜》）。故事的場面大、多變，但文筆一般，限於民間社會，上不到文士階層。

但其中寫「哪吒鬧海」一段，寫出了中國的第二號異端，他比孫行者還任性，大鬧龍宮，把龍王的三太子打死，而且抽筋剝皮，弄得他父親下不了臺，訓斥兒子。哪吒便把骨肉拆下來，還給父母。觀世音菩薩可憐這倔強的孩子，用藕為肢，荷葉為衣，蓮花為頭面，復活哪吒。傳說中，哪吒穿著紅肚兜，腳踏風火輪，手拿乾坤圈，是我童年時的偶像。

在忠孝至上的仁義之邦，哪吒是徹頭徹尾的叛逆者，有極深的象徵意義在。

簡言之，世界荒謬、卑污、庸俗。天才必然是叛逆者，是異端，一生注定孤獨強昂。尼采說，天才的一生，是無數次死亡與無數次復活，以死亡告終的，不如最後復活的偉大天才。

「封神榜」由姜子牙仲裁，封了許許多多大小角色，依我看，應推哪吒第一。他是尼采的先驅，是藝術家，是武功上的莫札特，是永遠的孤兒。當耶穌說，不像小孩子，就不能進天國，可能是指哪吒。

《三寶太監西洋記》——舞文弄墨

中國歷史的契機，在明朝。造船業已高度成功，船卻沒有開到意大利。明朝，上海出了徐光啟，意大利來一個利瑪竇。

明萬曆年間，一五九七年，羅懋登編著有《三寶太監西洋記通俗演義》。三寶太監，即鄭和，明宦官，本姓馬，伊斯蘭教徒，小名三保。明永樂年間奉帝命造大舶，七下西洋。兩個任務：一，追蹤政敵；二，炫耀武力。我看都錯，沒出息。皇帝、太監目力短淺，不知當時西洋高明，當年航船範圍僅限於南洋、印度、波斯，所謂歷三十九國，不過是一些部落，使其心悅誠服。

中國後來的強弱，中國能否成為世界強國，明朝是關鍵，一入清朝，歐洲已經突飛猛進，中國失了歷史契機，後來弄到一窮二白。先是失天時，再是失地利（指與西歐遠隔），三是大失人和，外侮內亂頻仍。現在只談鄭和下西洋（其實是東洋），所謂歷史契機，是否有實現的可能？

有的。第一，十六世紀末的明朝，西方還未起工業革命，科技文明卻已傳進中國。《幾何原本》前六卷，有中譯本，兩位大人物本來可使中國進入列強。一位是上海人徐光啟（一五六二—一六三三，即上海徐家匯的來歷），萬曆年成進士，官至禮部尚書，兼東閣大學士，參機務。他是最早「崇洋」的中國人。自名保祿（Paul），信天主教。研究天文、數學、農業、鹽業、物理、科學、軍事，尤精於天文，結交很多外國學者。

第二位是意大利人，瑪竇·利（Matteo Ricci，一五五二—一六一〇），自改中國名，曰利西泰，後人稱利瑪竇，是耶穌會傳教士。萬曆八年由廣東一路入北京，建教堂，傳道，中文程度之好，好到你們拜他為中文老師。古文清通雅健，兼魏晉之簡練、唐宋之流利。我看他的中文，實在佩服（足可做中國作協主席），而他最擅長的是天文、地理、醫藥。他和徐光啟是至交，明神宗甚器重他。

我們試想，如果當時中國就派人去意大利（既然利瑪竇能來中國，中國人當然有辦法去意大利，然後順理成章去法、德、西班牙，乃至英倫三島），正好趕上文藝復興。歐洲文藝復興後有過一段停滯期，因為希伯來思潮又以新教形式統治歐羅巴。中國人如果取了文藝復興的「經」，卻不受希伯來思潮束縛，那麼，十八世紀末，中國已是世界強國。

《西遊記》名西而實東，只到了印度一帶。孫悟空到底是隻猴子，白白姓了孫，換了我，定會帶了唐三藏往意大利跑，取來但丁的《神曲》、佩脫拉克（Francesco Petrarca，一三〇四——一三七四）的十四行詩。

明朝的歷史契機，確實存在的。神宗賞識徐光啟，又讓利瑪竇傳佈西方的宗教和科學，如果延為左右手，真正以天下為己任，神聖中華帝國的歷史，整個要重寫。

二十年前，我和音樂家李夢熊交遊，他就想寫〈從徐光啟到曹雪芹〉。我們總在徐家匯一帶散步、吃小館子，大雪紛飛，滿目公共車輪，集散芸芸眾生。這時，中國大概只有這麼一個畫家、一個歌唱家在感歎曹雪芹沒當上宰相，退而寫《紅樓夢》。

結果他沒寫這篇論文，我也至今沒動筆論曹雪芹。不久兩人絕交了。友誼有時像婚姻，由誤解而親近，以瞭解而分手。

明朝的歷史契機怎麼會無影無蹤？一是嘉靖年間出了大奸賊嚴嵩，禍國至巨；二是萬曆年間出了魏忠賢等奸臣、宦官、酷吏、文字獄、黨獄（「東林」是個學派，有「裴多菲俱樂部」性質。「黨」，是魏忠賢扣的帽子，後魏賊雖死，「東林」平反，但閹監暗中仍然迫害志士仁人，直到明亡）。朱元璋殺功臣，傷了元氣，明朝共長二百七十六年（從十四世紀中葉到十七世紀中葉），十六個皇帝，可說沒出一個大才，所以徐光啟、利瑪竇抓不住歷史契機。

但契機是明明存在的。

目前，我們又面臨一個契機，因為全國人心思變。要汲取歷史教訓：先知只管「知」，不可貿然「行」，如此，則超乎勝敗之上。歷史的契機，往往在「置之死地而後生」。文藝復興有此現象，當初的美國、二次大戰後的日本、蔣經國的興臺灣，都是例。

回來說《三寶太監西洋記》，舞文弄墨，煞是討厭，還是講《金瓶梅》吧。

《金瓶梅》——給女人看的奇書

《金瓶梅》、《水滸傳》、《西遊記》，當時稱為三大奇書。《金瓶梅》作者是誰，不可考定。據沈德符說是嘉靖年間大名士所做，因而擬為王世貞著。我兒時聽說王世貞以此書獻嚴世蕃，漬毒汁於書頁，世蕃翻書，習慣以口涎潤指而翻書，乃中毒死。

這三部奇書，奇在一部是給男人看的，一部是給小孩看的，一部是給女人看的。《水滸傳》著力寫男人，女性帶帶過就算了（據說斯湯達爾對梅里美（Mérimée）說，你不會寫女人，你寫的女人還都是男人）。《西遊記》是童心爛漫，我說給小孩看，是指有童心的成人。而《金瓶梅》對婦女性格的刻畫，極為深細，近乎現代的所謂心理小說。

《金瓶梅》三個女主角，潘金蓮、李瓶兒、春梅，還有月娘、孟玉樓、秋菊等，個性各個鮮明，語言處處生動，在文學上確有特定價值，其「方法論」影響到曹雪芹、張愛玲。《金瓶梅》的寫法是非常厲害，這些女人你一句我一句，充滿心機、謀略，細節中的你死我活，半句不讓，陰森可怕。曹雪芹的「意淫」還是唯美的、詩的，慢條斯理，迴腸盪氣。《金瓶梅》是「肉淫」，是變態的、耽溺的、不顧死活的。分別論之，《紅樓夢》是浪漫的，《金瓶梅》是現代的。

讀《紅樓夢》，難處在你必須高於作者（指觀點，非指才具造詣），方能了悟此書巨大的潛臺詞。所謂「都云作者癡，誰解其中味」，曹雪芹早知道別人是讀不懂的，這就是藝術家之為藝術家。《金瓶梅》呢，更容易誤解，太像性書，五個X，英國性文學大師勞倫斯看了也要張口結舌。作者像個幽靈，盯住幾個女人和西門慶，看他們演出種種醜劇，此書最妙是淫穢下流的地方，亦暴露人性。

「性」，通常是器官在活動，沒有「人」。《金瓶梅》不然，器官生在身上，還是寫成了人，幾乎是性的杜思妥也夫斯基——托爾斯泰、杜思妥也夫斯基，完成了藝術，《金瓶梅》要靠你自己找出它的藝術。

明朝的富貴人家和平民百姓，淫風大盛。楊乃武、小白菜的時代又何嘗不然？我童年在烏鎮所見，幾乎家家戶戶都有見不得人的醜事暗暗進行。人類社會的底層結構，到了十九世紀的法國，才有文學家把兜底翻出來。我想了三十多年，要不要翻中國的底，顧慮重重。這是要扯破臉皮，血污狼藉的。我讀《金瓶梅》比《紅樓夢》仔細（《紅》書明朗，《金》書幽暗，要放大瞳孔看，一如托爾斯泰明朗，杜思妥也夫斯基幽暗），這兩本書，我的感慨是：《紅樓夢》惜在未由曹氏完成，《金瓶梅》的作者沒有藝術家的自覺。

同期還有《玉嬌梨》、《平山冷燕》、《好逑傳》，都是才子佳人，悲歡離合，不足道。可以說說的是《野叟曝言》（即一個鄉下老頭在曬太陽時說話），作者夏敬渠（一七〇五—一七八七）。他不僅說故事，且以之抒心情，發見解，還忍不住老是出場，失了文學的純粹性。夏敬渠學問太好，通經史、諸子百家、禮樂兵刑、天文數學、醫術，因為做不了官，一肚子知識放進書中，把文學撐死了，所以博學可恥。

《今古奇觀》——富有民間的活氣

宋人平話，同期也出現不少短篇，最流行的當推《今古奇觀》，不是專著，是選本。馮夢龍輯宋明話本、擬話本為《古今小說》，後更名《喻世明言》，又有《警世通言》、《醒世恆言》，合稱「三言」；所謂「兩拍」，指《初刻》（《初刻拍案驚奇》）、《二刻》（《二刻拍案驚奇》），統稱「三言兩拍」，又有明代擬話本集《醉醒石》、《石點頭》，《今古奇觀》就是從這些書中拔萃精選出來的一個集子。

這類中國式的短篇小說，真是叫閒書。故事很有趣味，敘述宛轉生動，看得頭昏腦脹。我小時候看這類不許看的書，冷靜明白：這不是文學。如當時的抗戰歌曲、電影流行曲，也不是音樂。你們會說：那豈不等於世界上沒有小說沒有音樂了嗎？

到後來，聽到布拉姆斯、舒伯特、華格納，看到莫泊桑、契訶夫、歐·亨利，一見如故：這就是我所要的音樂、文學！這種本能的選擇分辨，使我相信柏拉圖的話：「藝術是前世的回憶。」紀德也說得好：「藝術是沉睡因素的喚醒。」再換句話：「藝術要從心中尋找。」你找不到，對不起，你的後天得下功夫——你前世不是藝術家，回憶不起來啊。

「三言」是馮夢龍所編，馮崇禎年間做過縣官，《通言》、《明言》、《恆言》主要保存在《今古奇觀》中。統觀《今古奇觀》與《拍案驚奇》，總覺得在文學之外，只可作為素材（但改寫重寫又很費力），缺點是：

才子佳人，概念化。

一面是淫穢的描寫，一面作道德的教訓。

不懂得剪接，事事重頭說起。

謎底出來了，還不停地做謎。

文字落俗套，口語不夠生動。

「三言」、「兩拍」屬於、限於民間社會，士大夫階層不關心，以為不登大雅之堂。也許幸虧不被關心，所以這些短篇小說自有民間的活氣，從中可見那時代的風俗習慣、生活情調。我很有耐心看這類書，好比吃帶殼的花生、毛豆，吃田螺、螃蟹，品賞大地的滋味、河泊的滋味。人要看點壞書。歌德叫人去看壞戲，說是看了壞戲，才知好戲的好。

《聊齋志異》——記俚俗荒誕事

明朝的筆記小說，文筆極好，很精練，極少字數把故事說完，還留有餘韻。為什麼？可能唐宋人愛寫絕句，做文章精於起承轉合。相比世界各國極短篇小說，中國的筆記小說可稱獨步。

可惜脫不掉兩大致命傷：一，渲染色情；二，宣揚名教。「萬惡淫為首」，就大寫如何之淫，淫到天昏地黑，然後大叫：萬惡呀！萬惡呀！這種心理很卑劣，但和讀者「心有淫犀一點通」。宣揚忠孝節義，把標準提到人性的可能之外，愈是做不到，愈偉大，結果本來做得到的，也不去做了。這叫做先偽善，後來呢，偽也不偽了，索性窩囊。這一窩囊，就是二、三千年。

許多中國古代小說都有這傾向，先致了文學的命，提升不到純粹性、世界性，而後致了平民百姓的精神的命。百姓靠這些讀物過精神生活，近乎吸毒。文學家，固然要文字高超，最後還得靠「神智器識」統攝技巧。神智器識，可以姑且解作「世界觀」。世界觀，意味著上有宇宙觀、下有人生觀的那麼一種

「觀」。

筆記小說，首推《聊齋志異》。

蒲松齡（一六四〇—一七一五），字留仙，號柳泉，山東人。考運不濟，在家授徒，七十一歲才成貢生，已是康熙年間了。他有詩文集傳世，《聊齋志異》凡四百九十一篇，可分三類：一，據傳說；二，想像虛構；三，重述唐宋舊文。從前對蒲松齡評價很高，說他憤世嫉俗，寓意諷諫，其實不然。蒲老先生不是曹雪芹的宰相之才。《聊齋志異》好在筆法，用詞極簡，達意，出入風雅，記俚俗荒誕事，卻很可觀。此後讚美別人文字精深，稱之聊齋筆法。

藝術家的自覺，始自貝多芬：「我是藝術家！」古代藝術家所以偉大，那是本能的自覺。貝多芬，是理性的自覺。

木心作品集——15

1989-1994文學回憶錄：
中世紀—十七世紀之卷

講　述　木　心
筆　錄　陳丹青
總編輯　初安民
特約編輯　敏　麗
美術編輯　林麗華

發行人　張書銘
出　版　INK印刻文學生活雜誌出版股份有限公司
新北市中和區建一路249號8樓
電話：02-22281626
傳真：02-22281598
e-mail：ink.book@msa.hinet.net
網　址　舒讀網http：//www.inksudu.com.tw

法律顧問　巨鼎博達法律事務所
施竣中律師
總代理　成陽出版股份有限公司
電　話　03-3589000（代表號）
傳　真　03-3556521
郵政劃撥　19785090　印刻文學生活雜誌出版股份有限公司
印　刷　海王印刷事業股份有限公司

港澳總經銷　泛華發行代理有限公司
地　址　香港新界將軍澳工業邨駿昌街7號2樓
電　話　(852) 2798 2220
傳　真　(852) 2796 5471
網　址　www.gccd.com.hk

出版日期　2013年10月　初版
2023年 9 月 8 日　初版四刷
定　價　280元
1550元（套書）
ISBN　978-986-5823-36-8 (平裝)
978-986-5823-39-9 (套書)

國家圖書館出版品預行編目資料

1989-1994文學回憶錄：
中世紀—十七世紀之卷／木心 著；
--初版, --新北市中和區：INK印刻文學,
2013. 10　面；　公分.
ISBN　978-986-5823-36-8 (平裝)
978-986-5823-39-9 (套書)
1.世界文學 2.文學史
810.9　102018258